G U I D E
DE RÉDACTION

Les nouvelles radio et l'écriture radiophonique

En collaboration,
sous la direction de
Réal Barnabé

Données de catalogage avant publication (Canada)

Vedette principale au titre :

   Guide de rédaction : les nouvelles radio et l'écriture radiophonique
   (Collection Communication)
Comprend des références bibliographiques
ISBN 2-89035-164-5
1. Radio – Scripts. 2. Journalisme – Art d'écrire. 3. Presse parlée. I. Barnabé, Réal. II.
Titre. III. Titre : Les nouvelles radio et l'écriture radiophonique. IV. Collection :
Collection Communication (Éditions Saint-Martin).
PN 1991.7.G84 1989   808'.066070119041   C89-096404-1

*Les Éditions Saint-Martin bénéficient de l'aide de la SODEC pour
l'ensemble de leur programme de publication et de promotion.*

Canadä *Les Éditions Saint-Martin sont reconnaissantes de l'aide financière
qu'elles reçoivent du gouvernement du Canada qui, par l'entremise de
son programme d'Aide au Développement de l'industrie de l'Édition, soutient l'ensemble
de ses activités d'édition et de commercialisation.*

Dépôt légal : Bibliothèque nationale du Québec, 3e trimestre 1989.

1ère réimpression, 1er trimestre 1990
2e réimpression, 1er trimestre 1992
3e réimpression, 3e trimestre 1994
4e réimpression, 4e trimestre 1997

AVANT-PROPOS

Ce guide s'adresse à tous les journalistes ou futurs journalistes soucieux d'améliorer leurs techniques de rédaction. Plus spécifiquement, il s'adresse aux journalistes radio, qu'ils oeuvrent à Montréal ou dans les régions. Conçu spécialement pour répondre aux besoins des journalistes des salles de nouvelles, il sera utile aussi à ceux qui sont affectés aux émissions d'affaires publiques et aux magazines. C'est un outil de perfectionnement qui servira aux sessions du Service national de la formation et du développement et qui devrait devenir un instrument de travail auquel on pourra se référer quotidiennement.

En 1979, un comité sous la direction d'Alain Pineau, alors rédacteur en chef à la salle des nouvelles radio, avait mis au point une première version de ce Guide de rédaction. Fort utile mais épuisé, ce document avait besoin d'être rafraîchi et enrichi par l'ajout de références et de nouveaux chapitres. C'est ainsi que les chapitres **Les caractéristiques de la radio** et **Le cadrage** ont fait leur apparition dans l'actuelle version.

Le **Guide de rédaction** se veut conforme à la **Politique journalistique** de la Société Radio-Canada. Il tient compte aussi des pratiques qui avec le temps ont permis de définir et de reconnaître le style de Radio-Canada en information radiophonique et il s'inspire de la documentation qui existe sur le sujet, qu'elle soit nord-américaine ou européenne.

PRÉFACE

Depuis bientôt trois ans, le Service national de la formation et du développement a redéfini ses orientations de travail et opté en faveur d'interventions systématiques et structurées dans les domaines professionnels et de production.

En information et en journalisme, nos activités de formation sont de plus en plus nombreuses. Dans ce contexte, le guide de rédaction, version 1989, s'ajoute à la gamme d'outils de formation dont nous disposons déjà.

Nous avions constaté, à l'occasion de la tenue de nombreuses sessions en "Écriture radiophonique", à quel point la disponibilité d'un guide d'écriture appuyait la démarche de formation, à la fois comme instrument pédagogique et comme référence ultérieure auprès des participants et de leurs collègues.

À la suite de cette constatation, la direction régionale de la radio et notre service décidons de procéder à la mise à jour du document alors en usage et mandations Réal Barnabé de mener le projet à terme. En voici le résultat.

La mise à jour de ce document s'inspire donc d'une vaste revue de nos pratiques de rédaction, que le matériel de travail des ateliers en "Écriture radiophonique" nous rendait accessibles. Elle procède aussi d'une consultation soutenue de nos artisans et des responsables de l'Information en région et Montréal.

Je tiens à souligner la collaboration de Michel Thivierge, directeur de la programmation régionale radio, Marcel Pépin, rédacteur en chef, nouvelles radio, Guy Lamarche, formateur au Service de l'Information, Réjean St-Arnaud, rédacteur en chef délégué, nouvelles radio et Hélène Robillard-Frayne, directrice de la programmation et de la diffusion de la radio.

Je remercie tout particulièrement Alain Pineau, concepteur et rédacteur du premier guide de rédaction (1979), de ses conseils et de ses suggestions lors de la rédaction du présent guide, ainsi que Robert Dubuc, Pauline Daignault et Camil Chouinard qui ont révisé les textes de Réal Barnabé.

Michel Samson,
Chef, Service national de la formation et du développement,
janvier 1989.

SOMMAIRE

INTRODUCTION

Dans nos bulletins de nouvelles, presque tout ce qui est dit a été écrit avant la diffusion. Le texte, la voix et le son ambiant sont nos seuls outils pour arriver à intéresser un auditeur qui ne nous voit pas. Le défi est donc d'**écrire pour l'oreille** et non pour l'oeil. Il faut adopter le **style parlé**, soit un style qui se rapproche du style de la conversation, en évitant le langage populaire ou familier.

Lorsqu'il s'assied devant sa machine à écrire ou son ordinateur, le journaliste de la radio doit rechercher le style et le ton qu'il adopterait devant un ami curieux qui lui demanderait : "Quelles sont les dernières nouvelles?"

Comme la plupart des dépêches nous proviennent d'agences de presse dans un style propre à la presse écrite, il est impérieux de réécrire ces textes dans un style qui convienne à la presse parlée.

L'expérience et l'autocritique permettent d'arriver à exceller dans cet effort d'adaptation. Mais la lecture d'ouvrages spécialisés sur la rédaction des nouvelles radiophoniques peut aussi être profitable à ceux et à celles qui cherchent à se perfectionner.

Au cours des prochaines pages, nous identifierons les caractéristiques du média dans le but de cerner la spécificité de la démarche de rédaction à la radio; nous aborderons la notion d'idée maîtresse (cadrage ou focus), notion à la mode et utile; nous nous attarderons au style parlé et à la nature de la nouvelle en essayant de la définir; nous nous pencherons sur les "règles" de rédaction de l'amorce; nous verrons quelles sont les autres "règles" de l'écriture radiophonique et nous traiterons de la présentation de la copie et du reportage.

CHAPITRE 1

LES CARACTÉRISTIQUES
DE LA RADIO

1 - *LES CARACTÉRISTIQUES DE LA RADIO* ▬▬▬▬

Avant d'aborder le coeur du propos, soit les techniques de rédaction de la nouvelle radiophonique, il est bon de consacrer quelques pages à l'identification des caractéristiques de la radio et, plus spécifiquement, de l'information radiophonique. Cette spécificité aura un effet déterminant sur le style de rédaction que le journaliste radiophonique privilégiera.

▬▬▬▬ 1.01 DES NOUVELLES EN BONNE SANTÉ

L'influence de la télévision est telle qu'on oublie parfois que la radio joue toujours un rôle central dans la diffusion de l'information et que loin d'être devancée ou dépassée par la télé, la radio jouit, à bien des égards, d'avantages marqués et appréciés du public. On peut même affirmer que malgré les prédictions de ceux qui prévoyaient leur disparition, les nou-velles, une des forces de la radio, sont toujours en bonne santé.

"Les nouvelles radio ont ceci de particulier qu'elles refusent de mourir ou même de se dessécher tragique-ment pour l'étonnement constant des journalistes de la presse écrite et de la télévision et même de ceux de la radio. Le thème "la radio n'est pas encore morte" est devenu du bonbon pour les médias nord-améri-cains."

C'est ainsi que commençait un article d'Eric Zorn, journaliste au Chicago Tribune, publié par le **Washington Journalism Review** en décembre 1987 sous le titre **RADIO NEWS: ALIVE AND STRUG-GLING**. Dans cet article, Zorn démontre que les nouvelles radiophoniques survivent et sont **en bonne santé** malgré les difficultés financières de plusieurs stations, malgré les nouveaux gadgets (baladeurs, livres sur cas-settes...) qui concurrencent la radio, malgré la déréglementation (les sta-tions américaines ne sont plus obligées de diffuser des nouvelles : mais celles qui le font s'aperçoivent que c'est payant puisque les gens en veulent).

"...les causes mêmes qui devaient donner le coup de grâce à l'information radiophonique ont avec les années fini par jouer à son avantage." (Washington Journalism Review, décembre 1987)·

Outre cette évolution récente qui semble avoir un effet stimulateur sur les nouvelles radiophoniques, la radio peut toujours compter sur ses atouts traditionnels.

La radio, une invention du vingtième siècle, met à profit des techniques de communication vieilles comme le monde. Les conteurs de l'antiquité sont les ancêtres de la radio. La radio doit retrouver l'art de raconter une histoire, même lorsqu'elle diffuse des nouvelles.

Les nouvelles radio sont presque aussi vieilles que la radio elle-même.

Les premières nouvelles du désastre du Titanic ont atteint les côtes grâce à un signal radiophonique émis par un bateau en haute mer. Le 2 novembre 1920, la station KDKA à Pittsburgh était la première à diffuser les résultats des élections présidentielles. Par la suite, l'information radiophonique s'est développée rapidement au point où les journaux se sont sentis menacés.

"**L'information radiophonique a été minée, durant les années 30, par une longue et persistante bataille contre les propriétaires de journaux. C'est ce qu'on a appelé "la guerre de la presse et de la radio". Les journaux cherchaient à empêcher la diffusion radiophonique des informations. Mais la Deuxième Grande Guerre a établi d'emblée la suprématie de l'information radiophonique.**" (Fornatale et Mills, p. 96)

Cette suprématie a duré au moins vingt ans jusqu'à l'arrivée de la télévision. Mais même aujourd'hui, la radio conserve certains avantages par rapport à ses concurrents.

▨▨▨▨ 1.02 MOUVEMENT ET CONTINUITÉ

Et un de ces atouts, c'est l'action, le mouvement. L'information radiophonique est constamment en mouvement. Elle évolue dans le temps et se complète d'heure en heure, se précise même de minute en minute. L'information écrite, à cause des délais provoqués par l'impression, la distribution, la vente, est paralysée et n'évolue que de 24 heures en 24 heures. L'information télévisée partage aussi avec la radio ce caractère de continuité, mais moins puissamment, puisque les journaux télévisés sont moins fréquents.

"**Si l'on n'écrit pas pour l'auditeur comme on écrit pour le lecteur, c'est tout simplement parce que le moyen utilisé pour communiquer diffère. La radio**

apporte un élément que la publication écrite n'a pas : le mouvement. Elle anime le texte en le faisant évoluer dans le présent." (Aspinall, p. 93)

1.03 L'IMAGINATION

Une des grandes qualités du conteur est de permettre à son auditeur de **participer par l'imagination en fabriquant mentalement ses propres images.** Bien utilisée, la radio peut et doit faire la même chose. C'est en ce sens-là qu'on dit que la radio permet à l'auditeur de *fabriquer des images mentales* et qu'elle s'adresse à *l'imagination.*

L'auditeur n'étant pas distrait par une image définitive comme celle que lui offre la télévision, il peut plus facilement écouter et conséquemment accorder plus d'importance au contenu du message diffusé. De plus, comme ce message n'a pas de forme visuelle, l'auditeur compose intellectuellement une image à partir de ce qu'il entend et par conséquent participe à l'activité radiophonique. (voir 1.08 **Un média de participation**).

D'ailleurs, les publicitaires l'ont bien compris. Et ils tentent d'exploiter à fond cette caractéristique lorsqu'ils choisissent la radio comme véhicule promotionnel.

"Le texte et la musique utilisés devront faire naître des images mentales susceptibles d'imprégner les récepteurs." (Cossette et Déry, p. 416)
"...les auditeurs sont appelés à reconstituer mentalement leur propre imaginaire, leur propre imagerie subjective. Le processus se compare d'ailleurs à la lecture d'un roman avant d'avoir vu le film tiré du sujet." (idem, p. 438)

Donc, le son et les mots sont source d'images; d'où l'importance de choix judicieux.

Eric Zorn cite Joe Dembo, vice-président des nouvelles radiophoniques à CBS, qui constate que la radio est **"un média d'auteurs. L'accent y est mis sur le son et les mots. Les gens qui savent écrire sont attirés par la radio."**

1.04 LA RAPIDITÉ

Pour retenir l'attention, la radio met à profit un autre atout majeur : la *rapidité.* L'expérience démontre que la radio informe plus rapidement que ses concurrents. Même lorsque la télévision et la radio décrivent le même événement, la radio est généralement plus rapide que la télévision.

La radio demeure le média grâce auquel la majorité des gens prennent connaissance d'une nouvelle. Le rôle de la radio en période de crise - pannes d'électricité, (celle du 18 Avril 1988 au Québec), avertissements de tempête, émeutes, catastrophes (celle de Saint-Basile-le-Grand) etc. - est bien connu. Des sondages et des études ont mesuré la vitesse de diffusion et de pénétration de la radio dans la transmission des nouvelles urgentes.

" Au cours de l'incident nucléaire de *Three Mile Island***, en Pennsylvanie, en mars 1979, 56 pour cent des habitants de la localité ont dit avoir d'abord appris la nouvelle par la radio, 23 pour cent par des amis ou des membres de leur famille et 14 pour cent par la télévision."**
"Lorsque le 4 juin 1968, on a tiré sur le sénateur Robert F. Kennedy, 56,5 pour cent des Américains ont appris l'événement par la radio, 20 pour cent par la télévision et 6 pour cent par les journaux."(Fornatale et Mills, p. 95)

▬▬▬ 1.05 L'INSTANTANÉITÉ

La radio est aussi un média **instantané.** Il est parfois possible de relater à la radio un événement au moment même où il se déroule. La télévision peut le faire aussi, mais à des coûts très élevés et, en général, à condition que l'événement ait été prévisible. La programmation radiophonique s'interrompt beaucoup plus facilement que la programmation télé. Un reporter de la radio a donc la possibilité, par simple ligne téléphonique, de témoigner instantanément des situations qu'il observe.

Ainsi, c'est souvent par la radio qu'on prend connaissance pour la première fois d'un événement et de son évolution. Les images viendront plus tard par la télévision et les détails suivront dans les journaux.

Même si cet avantage concurrentiel est moins grand depuis l'arrivée des satellites, des canaux de télévision spécialisés en information et des téléviseurs miniaturisés, un sondage récent commandé par l'ASSOCIATED PRESS BROADCAST SERVICES démontre que 69 pour cent des personnes interrogées affirment que la principale raison pour laquelle elles écoutent la radio est le maintien du contact avec les nouvelles les plus fraîches. (Cité par le Washington Journalism Review, en décembre 1987.)

1.06 LA CONCURRENCE

La radio évolue et surnage dans un *contexte de concurrence*. Même les stations non commerciales ne sont pas indifférentes aux succès d'audience et aux cotes d'écoute. Elles tentent de devancer leurs concurrents par la diffusion d'informations exclusives et de primeurs.

1.07 UN MÉDIA INTIME

La radio est aussi un *média intime*. L'écoute de la radio est **une affaire personnelle**; on est souvent seul devant son appareil.

"La radio touche les gens dans leur intimité. C'est une relation de personne à personne, qui ouvre tout le monde de la communication tacite entre l'auteur-speaker et l'auditeur. C'est là le côté direct de la radio. C'est une expérience privée. Des profondeurs subliminales surgit l'écho des trompes tribales..." (Marshall McLuhan, Pour comprendre les médias, p. 122)

1.08 UN MÉDIA DE PARTICIPATION

C'est un média de **participation,** un "médium chaud" pour reprendre l'expression de McLuhan contrairement à la télé ("médium froid") qui offre un produit bien défini et qui laisse le téléspectateur passif, prisonnier de l'image qu'on lui offre.

"La meilleure histoire est celle qui permet à l'auditeur de se mettre à la place du héros ou de la victime. L'information radiophonique est particulièrement apte à susciter ce sentiment d'empathie." (Manuel de UPI cité par Wimer et Brix, p. 16)

Des études ont démontré que, dans une situation normale, l'oeil recueille près de 80 pour cent du champ perceptuel alors que l'oreille n'en retient que 16 pour cent. Les autres sens se partagent les 4 pour cent qui restent. Le journaliste radiophonique aidé par le fait que la radio favorise la participation est par contre handicapé par une caractéristique physiologique majeure qui rend l'oreille moins efficace que l'oeil pour saisir le réel.

"...malheureusement, ce qui est seulement entendu a généralement moins de force et d'effet que ce qui est à la fois vu et entendu. Dès lors que la communication ne se fait que par le son, la netteté et la clarté deviennent des impératifs primordiaux : le langage de la radio doit être accessible aux auditeurs; le signal clairement et fidèlement transmis." (Aspinall, p. 21)

1.09 UN AUDITOIRE NON CAPTIF

La situation est d'autant plus périlleuse que l'auditoire radiophonique *n'est pas captif.*

"La radio est un média où la fidélité de l'auditeur est très incertaine. Il peut très facilement changer de station. Vous parlez à un auditoire qui n'est pas captif et la toute première phrase doit être intéressante." (McLeish, p. 16)

1.10 UN AUDITOIRE SOLLICITÉ

De plus, cet auditoire est **sollicité** de toutes parts (toilette du matin, les enfants, le petit déjeuner, la conduite automobile, etc.). En général, on fait autre chose en écoutant la radio. Et cette autre activité est souvent accompagnée de bruits qui affectent la qualité de l'écoute. En automobile, le message radiophonique doit, avant d'arriver à l'oreille du conducteur, combattre 80 décibels de bruit ambiant.

Un sondage réalisé par la firme CROP pour le compte du Service de recherches de Radio-Canada et dont les résultats ont été dévoilés en mars 1988 confirme le fait que, dans bien des cas, on écoute la radio en faisant autre chose et que cette écoute est souvent solitaire, comme nous l'avons vu précédemment (1.07 **Un média intime**).

POURQUOI ET COMMENT ÉCOUTE-T-ON LA RADIO ?

	INDICE DE FRÉQUENCE
TOUT EN FAISANT AUTRE CHOSE	.86
LORSQU'ON EST SEUL	.82
POUR S'INFORMER	.81

POUR L'ACCOMPAGNEMENT	.75
POUR SE DÉTENDRE	.74
POUR LES RENSEIGNEMENTS	.72
PRATIQUES	
POUR ENRICHIR SA CULTURE	.62
PERSONNELLE	
POUR METTRE DE L'ENTRAIN	.55
POUR OUBLIER LE QUOTIDIEN	.49

Extrait d'une présentation faite dans le cadre du colloque "La radio publique régionale et son espace", le 23 mars 1988.

1.11 UN MÉDIA SÉLECTIF

Par contre, le journaliste radiophonique **choisit et impose** à l'auditeur les éléments qui lui semblent pertinents. Cet auditeur n'a pas de choix comme le lecteur d'un journal qui sélectionne ce qui l'intéresse. Il ne peut pas non plus s'arrêter pour bien comprendre, sauter des paragraphes, mettre de côté ce qu'il veut approfondir. L'écoute radiophonique implique qu'on doive tout saisir dans l'ordre proposé, sans interrompre le flot d'information, sans possibilité de retour. Sauf lorsqu'on arrive à produire, grâce à l'enregistrement, des documents de référence, ce qui est encore exceptionnel.

La seule liberté de l'auditeur, et elle est capitale, c'est de cesser d'écouter ou de changer de station.

"...si l'auditeur n'a pas bien compris, il ne peut revenir en arrière. Quiconque rédige un texte pour la radio doit par conséquent veiller à tenir l'auditeur en haleine pour que son attention ne se relâche pas et à ne laisser subsister aucune obscurité dans l'intrigue d'une histoire, dans l'articulation d'un raisonnement, dans le cheminement d'une démonstration." (Aspinall, p. 93)

De plus, l'auditeur doit capter l'émission à l'heure où elle est diffusée (alors que le journal se lit à l'heure de son choix).
Pour toutes ces raisons, l'écoute radiophonique ne peut généralement pas profiter d'une répétition du message.

1.12 ...QUI VÉHICULE DES ÉMOTIONS

Le message doit donc être diffusé dans une forme qui suscite **une réaction ou une émotion immédiate.** On sait que ce qui "passe" le mieux, c'est l'émotion. Ce n'est cependant pas une raison pour refuser de diffuser une information importante dont le contenu émotif serait nul. (voir Cadrage, Chap. 2 , pp. 17 et 18)

1.13 LE DIRECT

La radio est le média par excellence **pour la diffusion en direct. Sa rapidité, sa simplicité, sa souplesse, son instantanéité** en font l'outil idéal pour la présentation d'événements spéciaux ou pour faire face à l'imprévu. (voir 1.05)

Et même en différé, la radio créera une impression d'immédiateté surtout si ses artisans maîtrisent bien l'écriture radiophonique.

"L'écriture radiophonique... transpose dans le présent. Ce que l'auditeur entend à la radio, il a l'impression que cela arrive au même moment. La radio ne restitue pas au passé ce qui appartient au passé; elle ramène tout au présent." (Aspinall, p. 93)

1.14 L'AUTONOMIE

En radio, le reporter travaille souvent seul. C'est un avantage puisqu'il est relativement *autonome* et qu'il a un meilleur contrôle sur son produit, mais aussi un inconvénient puisqu'il travaille la plupart du temps sans filet, sans équipe pour l'appuyer.

1.15 UN MÉDIA ÉCONOMIQUE

La radio est *un média économique.* Faire de la radio *ne coûte pas très cher.* On devrait donc pouvoir se permettre plus d'audace, plus de fantaisie, plus de risques puisque les coûts sont relativement bas. D'autant plus que la radio est *un média léger.*

1.16 LA CONTRAINTE "TEMPS"

Mais quelles que soient les conditions dans lesquelles le reporter radiophonique travaille, il subira plus que d'autres **la contrainte du temps (heures de tombée) et de la durée (temps de diffusion limité).**

En presse radiophonique, les heures de tombée sont très rapprochées du moment de la livraison en ondes. Les échéances sont fréquentes (bulletins à l'heure, à la demi-heure). *L'heure de tombée* est constante. Le journaliste de la presse parlée connaît la contrainte de la tombée ; non pas à la journée ou à l'heure mais à la minute et parfois à la seconde près. Les heures de tombée sont déterminées à l'avance mais elles sont très rapprochées les unes des autres. Pour un bulletin spécial, il n'y a pas de tombée. La possibilité de transmettre la nouvelle sur-le-champ demeure le facteur concurrentiel majeur pour la presse radiophonique. (voir 1.04 et 1.13) Cette rapidité lui impose un style simple et concis. D'où l'importance de bien évaluer les faits et d'avoir un bon esprit de synthèse.

En radio, *les reportages sont courts* (plus courts qu'à la télé). Ils durent environ une minute, parfois même 45 secondes (surtout à la radio privée).

Les *minutages sont rigides et contraignants*. On ne peut modifier à volonté la durée d'une émission. Les exigences de l'horaire, surtout si l'on appartient à un réseau où les détachements locaux sont nombreux et fréquents, ne permettent presque aucune fantaisie.

CITATION

"Un journal peut donner à un événement important plus d'impact simplement en utilisant plus d'espace. La grande nouvelle est coiffée d'un titre immense, la photo est agrandie et projetée en première page. Dans un bulletin radiophonique, la nouvelle elle-même est l'équivalent du titre et le texte ou l'interview servent d'illustrations. La radio a tendance à donner à tous les éléments la même importance. Si une nouvelle dure plus longtemps, ce n'est pas l'indice qu'elle prendra plus d'importance (...) Il peut résulter de cela l'impression que tous les sujets sont traités de la même façon. D'où le reproche d'aimable superficialité; que l'on entend plutôt fréquemment. Par contre cette caractéristique de la radio favorise peut-être l'équilibre démocratique en influençant dans une moindre mesure l'auditeur et en lui laissant le loisir de se faire une idée sur ce qui est important. (McLeish, p. 20)

1.17 UN PRODUIT ÉPHÉMÈRE

Il faut ajouter, à tout cela, **la nature éphémère** de l'information radiophonique. Rien ne vieillit plus vite qu'un topo radio. Ce qu'on entend à la radio est vite oublié. L'écrit demeure, la parole se perd. L'information radiophonique est animée mais fugace. (voir 1.02 et 1.11) Le travail est toujours à recommencer. Le reporter ne peut rien tenir pour acquis puisqu'il doit faire face constamment aux mêmes contraintes et ne jamais dormir sur ses lauriers.

"...non seulement l'auditeur doit entendre le programme au moment de sa diffusion, il doit en plus le comprendre sur-le-champ. L'impact et l'intelligibilité du propos doivent être immédiats puisque l'auditeur jouit rarement d'une seconde occasion d'écoute. Il faut donc s'efforcer de présenter ses idées de la manière la plus logique et utiliser un langage facilement compréhensible." (McLeish, p. 18 et 19)

1.18 LE CHARISME RADIOPHONIQUE

C'est dans ce contexte que se pose la question de la "performance" du journaliste radiophonique.

Le magazine **SATURDAY NIGHT** publiait en septembre 1987 des extraits de la correspondance que Marshall McLuhan et Pierre Elliott Trudeau ont échangée à la fin des années 70. Dans une lettre du 16 avril 1979, McLuhan abordait le thème du charisme radiophonique. Bien qu'adressées à un politicien, ces remarques peuvent être utiles au journaliste radiophonique qui désire mieux évaluer et comprendre ce qu'il fait.

"J'ai suivi la campagne électorale et j'aimerais vous proposer les observations suivantes. Puisque les grandes questions à l'ordre du jour tendent à susciter de plus en plus de controverses, il y aurait grand avantage à faire passer le gros des reportages de la campagne à la radio. La radio est émotive, caractéristique indispensable lorsque les questions s'enveniment; la télévision de son côté est le média de la fantaisie et c'est à bon droit qu'on la considère comme un média plutôt calme."

"Le charisme de la radio est tout à fait différent de celui de la télé. Le charisme de la télé suppose qu'on se conforme à quantité de modèles, par exemple le type Walter Cronkite. Le charisme de la radio consiste tout simplement à transmettre la résonance de la sincérité." (Saturday Night, septembre 1987)

1.19 UN MÉDIA DE CONTENU

Pour cette raison et pour bien d'autres encore, la radio est le média idéal pour livrer les nouvelles essentielles ("hard news").

C'est aussi un média qui se prête au choc des idées, à la présentation de dossiers, à l'information complète et fouillée. La radio est un média de contenu.

Comme bien des journalistes, George Herman, un ancien de CBS RADIO AND TELEVISION NEWS qu' Eric Zorn cite dans son article du **Washington Journalism Review**, préfère la radio à la télé pour s'informer.

"L'information radiophonique offre des nouvelles plus substantielles. À la télévision, il y a toute cette camelote de divertissement : les interviews du sidatique qui vient de découvrir que sa femme est une transsexuelle. La télévision est avide de drames dont elle peut vous rendre témoins. La radio n'a pas de temps pour cela. C'est une excellente école pour les jeunes reporters qui peuvent apprendre à saisir rapidement l'information et la mettre en capsules de 45 secondes." (Washington Journalism Review, décembre 1987)

CHAPITRE 2

LE CADRAGE
OU L'IDÉE MAÎTRESSE

2 - LE CADRAGE OU L'IDÉE MAÎTRESSE

2.01 REMARQUES PRÉLIMINAIRES

La notion de **cadrage**, d'**idée maîtresse** ou de "focus" (mettre au foyer) est relativement nouvelle. Du moins comme objet de préoccupation et de réflexion parmi les artisans de la radio et de la télévision.

Cette notion s'applique autant à la démarche du rédacteur de nouvelles à la radio ou à la télé qu'au travail du reporter ou du réalisateur aux affaires publiques ou dans les magazines.

Pour certains, c'est la révolution; on a enfin trouvé une nouvelle façon de pratiquer le journalisme électronique. Pour d'autres, il n'y a rien de nouveau là-dedans; on donne tout simplement une forme moderne à des vieilles notions comme, l'**idée générale, l'idée de base** ou **l'hypothèse de départ.**

En fait, comme nous le verrons, la notion de cadrage ou d'idée maîtresse va plus loin que les notions d'idée de base, idée générale ou hypothèse de départ. Un cadrage bien fait permet d'exprimer en une phrase et en établissant un lien de causalité entre deux éléments d'une réalité ce que sera finalement l'essentiel de la nouvelle ou du reportage.

Ce qui est certain, c'est que cette mode du cadrage et le débat qui l'entoure sont à l'origine de discussions fructueuses sur nos façons de travailler et plus particulièrement sur nos façons de cerner notre sujet. Mais comme on utilise la notion de cadrage à toutes les sauces et qu'on lui prête des vertus ou des défauts qu'elle n'a pas, il est bon de la développer un peu afin de mieux saisir ses caractéristiques et ses limites.

C'est ce qu'a fait Jack McAndrew, consultant auprès du réseau anglais de Radio-Canada, dans un texte qui a été traduit et fortement adapté pour qu'il corresponde mieux à la réalité du réseau français.

2.02 DES CHOSES À RACONTER

Nous communiquons avec notre auditoire en lui racontant des choses.

Nous entretenons avec chaque auditeur une conversation qui, nous l'espérons, suscitera un intérêt qui durera aussi longtemps qu'il faudra pour lui transmettre notre message. Pendant que nous tentons de gagner cet intérêt, nous devons lutter contre tout ce qui peut, à tout moment, le distraire : le cri d'un enfant, les bruits de la ville, la circulation, etc.

Le "conteur" radiophonique doit surmonter ces difficultés - et bien d'autres - pour rejoindre les intérêts personnels de l'auditeur.

Le conteur doit trouver la réponse à la question : "Pourquoi devrais-je m'intéresser à cela?" avant que l'auditeur ne se la pose.

Sinon l'auditeur utilisera une arme radicale : changer de station ou tout simplement cesser d'écouter ou éteindre son poste.

"**Le moyen relativement sûr de susciter l'intérêt de l'auditeur c'est d'être vous-même intéressé à ce que vous écrivez. Non seulement en tant que rédacteur, mais en tant que personne. Vous devez ressentir l'urgence, le pathétique, l'exaltation ou l'humour qui font l'événement digne de nouvelle. Et vous devez faire en sorte que l'auditeur le ressente à son tour.**" (Manuel de UPI cité par Wimer et Brix, p. 16)

L'ART DE CONTER

Le principe de base est simple : nous sommes des conteurs qui communiquent des informations en les présentant sous forme d'histoires.

Nous le faisons parce que nous sommes des êtres humains et que les êtres humains communiquent entre eux depuis des siècles en se racontant des histoires. Mais avant de raconter une histoire, il faut bien la posséder.

"**Ce que l'on conçoit bien s'énonce clairement et les mots pour le dire arrivent aisément.**" (Boileau)

"**Avant d'expliquer quoi que ce soit aux autres, le journaliste doit d'abord avoir complètement compris lui-même. Ce qui se conçoit bien s'énonce clairement... Cela demande des efforts certains. Il faut savoir pénétrer dans la logique d'événements et de personnes qui nous sont souvent totalement étrangers.**" (Martin-Lagardette, p. 37)

"**La première chose à faire - cela se vérifie pour tous les genres de communications - c'est de décider ce que vous avez à dire. Quelles sont les idées que vous voulez faire passer et quelle est l'impression que vous voulez laisser?**" (McLeish, p. 68)

Il y a beaucoup de logique là-dedans. Et le raisonnement logique consiste en un processus constitué d'étapes définies.

EN JOURNALISME RADIOPHONIQUE, CES ÉTAPES SONT :

le sujet
l'idée de base de l'histoire à raconter
la recherche
le cadrage
la livraison en ondes

2.03 LE SUJET

Nous devons commencer quelque part.

Quelqu'un dira, par exemple : "Faisons quelque chose sur l'anniversaire de la fin de la Seconde Guerre mondiale."

Un autre de répliquer : "Mais cela a été fait ad nauseam!"

La même réponse aurait pu être donnée pour n'importe quel sujet, y compris les grands thèmes qui ont marqué l'histoire de l'humanité. La première règle de l'art de raconter est qu'il n'y a pas vraiment d'histoire si elle ne fait pas intervenir des êtres humains.

Le public s'intéressera beaucoup plus à l'actualité si elle a des répercussions concrètes sur la vie des gens.

En face d'un sujet, on doit donc se demander : qu'a-t-il à voir avec du "vrai monde" ? Pourquoi devrions-nous nous y intéresser ? Il y a des chances que le sujet nous intéresse s'il implique des êtres humains... parce que nous en sommes!

À ÉVITER

"L'armée soviétique a mis au point une bombe atomique très sophistiquée par suite de l'application d'un nouveau principe de physique nucléaire."

PRÉFÉRABLE

"L'armée soviétique a mis au point une bombe atomique qui peut détruire en une seule explosion toute la population de la région de Toronto. Grâce à l'application d'un nouveau principe de physique nucléaire, cette bombe, très sophistiquée, permettra..."

2.04 L'IDÉE DE BASE

Confronté à un sujet, le journaliste doit d'abord identifier clairement ce qu'il veut en faire, dégager une idée de base.

Une simple question peut l'aider à y arriver : **"POURQUOI?"**

Un mot simple. Anodin même, qui, selon McAndrew, recouvre l'essence même du journalisme. Le conteur d'histoire naît lorsqu'un journaliste se demande "pourquoi ?". Le journaliste se transforme en conteur lorsque la réponse à cette question prend forme.

Le premier POURQUOI se formule ainsi : Pourquoi quelqu'un devrait-il être intéressé par ce sujet?

Le journaliste commence à répondre à cette question lorsqu'il se la pose à lui-même.

En supposant qu'il est intéressé à raconter l'histoire que lui inspire son sujet, il doit ensuite passer à la deuxième partie de la question : "Pourquoi d'autres y seraient-ils intéressés?"

Si l'histoire qui l'intéresse rejoint l'intérêt personnel des auditeurs, il y a de bonnes chances que ces auditeurs l'écoutent pour satisfaire leur curiosité.

L'intérêt personnel commence par Je-Me-Moi. L'intérêt décroît à mesure que son champ d'application s'élargit vers la famille, le voisinage, le quartier, la ville, la province, le pays, le continent... ainsi de suite.

Les seules valeurs vraiment stables sont les valeurs universelles. Ce sont ces valeurs qui permettent aux personnes de culture et de pays différents de partager les émotions qu'engendrent l'amour, la haine, la joie, la naissance, la mort, le drame. L'art que les autres vivent. Il permettra à l'auditeur de se substituer et de s'identifier à eux quelques instants.

Nous ressentons des émotions; nous ne ressentons pas des faits. L'art de raconter une histoire consiste à assembler des faits de façon à nous faire ressentir une ou plusieurs émotions. Nous devenons des acteurs de l'événement plutôt que des récepteurs passifs d'information.

Nous nous devons de parler à "du monde", (à une personne) plutôt qu'à des institutions, lorsque nous contons une histoire.

2.05 LA RECHERCHE

Le sujet est maintenant trouvé. Le journaliste "succombe" à l'impulsion d'en faire une histoire et de la raconter. Il s'est demandé "POURQUOI?" et a trouvé une réponse satisfaisante. Il serait alors souhaitable qu'il se préoccupe d'en savoir autant que possible sur le sujet dont il veut traiter, compte tenu du temps et des moyens dont il dispose.

McAndrew identifie les quatre lois de la recherche :

Ne pas se fier à son matériel de recherche à moins de l'avoir vérifié auprès d'une deuxième source.

Trouver tout ce qu'il y a à savoir sur l'histoire que l'on veut conter et s'y limiter.

S'il arrive que l'on trouve un meilleur sujet que celui qui est amorcé (c'est-à-dire un sujet plus intéressant pour un plus grand nombre de personnes), ne pas hésiter à s'y attaquer.

Il n'y a pas de substitut à la ténacité.
(Si une première approche ne mène pas à ce qu'on attend, pourquoi ne pas en essayer une autre?)

La plupart des gens sont disposés à nous dire ce que nous voulons savoir. Tout est dans la manière de les approcher.

On aime bien, en règle générale, que quelqu'un s'intéresse à un domaine qui nous concerne tout particulièrement. On réagit favorablement si on sent qu'une question est posée avec désintéressement et souci de la vérité. Pour délier les lèvres, il n'y a rien comme de dire à la personne interrogée pourquoi on a besoin de l'information et quel usage on va en faire.

Une voix inconnue au téléphone qui impose des questions inquisitrices sans explication va infailliblement susciter la résistance. Personne ne peut être à l'aise dans le vide ou dans une atmosphère d'inquisition.

Maintenant que la recherche est terminée, le jeu commence. Il faut s'attaquer à la composition de l'histoire.

Bien sûr il n'est pas question de commencer à rédiger avant d'avoir décidé de l'histoire à raconter. C'est la simple logique. C'est aussi l'art du journaliste. Et c'est ce que McAndrew appelle *l'essence du sujet*.

2.06 LE CADRAGE

La formulation du cadrage doit exprimer l'idée principale de l'histoire que nous nous apprêtons à raconter. Cette idée centrale déterminera la structure de l'histoire.

Si le journaliste ne sait pas lui-même ce qui fait l'objet de son histoire, celui qui en prendra connaissance va avoir bien du mal à comprendre de quoi il parle.

Si on est incapable d'isoler l'idée centrale du message à transmettre, il s'ensuit nécessairement que l'auditeur va éprouver la même difficulté en écoutant.

Cette notion n'est pas vraiment nouvelle. Elle est évidemment très répandue dans la presse écrite comme en témoigne cette citation.

"Première chose à faire : déterminer la principale information à diffuser. (...) L'expérience nous apprend que l'une des principales causes d'un mauvais article tient à l'imprécision de son information, au fait qu'il hésite entre deux ou trois orientations différentes.

Bien définir également l'angle d'attaque, le préciser avec un maximum de pertinence. (...) Il faut choisir une seule façon d'aborder le problème... (...) Il faut obligatoirement limiter le champ de la recherche. (...) L'angle servira donc de fil conducteur qui mènera l'esprit du lecteur d'étape en étape à travers toutes les péripéties de l'article.

Choisir des éléments, c'est aussi savoir en refuser d'autres. C'est faire un tri. Les informations, pour originales qu'elles soient, doivent impitoyablement être balayées si elles ne rentrent pas dans le cadre strict du sujet." (Martin-Lagardette, p. 34 à 36)

LES CINQ "RÈGLES DU CADRAGE"

Il doit se résumer en une phrase déclarative simple contenant un verbe d'action.

Il doit exprimer une relation de cause à effet.

Il doit être spécifique au point de ne raconter que l'histoire que vous voulez raconter, et pas d'autres.

Il doit découler des recherches que vous avez faites sur le sujet, et le bien-fondé de l'idée principale doit être confirmé.

Il doit parler des gens qui font quelque chose.

LES CINQ ERREURS À ÉVITER

Par contre, un cadrage sera mauvais s'il :

- s'exprime sous forme de question;

- est ambigu et ne contient que des généralités;

- renferme des informations plutôt que des références à des gens;

- n'établit pas de relation causale et n'est qu'un énoncé de faits;

- est indirect et n'exprime qu'un état.

2.07 EXEMPLES DE CADRAGES

Pour éviter toute confusion, il est bon de rappeler que le cadrage ne correspond pas nécessairement au texte de l'amorce. Il ne sera généralement pas lu à l'antenne. Le cadrage est un outil de travail, une opération qui précède la rédaction et qui l'oriente. Il ne faut donc pas s'étonner de constater que les exemples qui suivent ne respectent pas les règles de rédaction de l'amorce qui seront développées au chapitre 5.

(mauvais cadrage)

Huit personnes ont été tuées par l'auto que conduisait Alfred Hurtubise alors en état d'ébriété.

(bon cadrage)

Conduisant en état d'ébriété, Alfred Hurtubise a heurté mortellement huit personnes.

(mauvais cadrage)

Un nouvel égout sera installé à Brossard pour stimuler la croissance immobilière dans ce secteur.

(bon cadrage)

Trois cents nouvelles familles pourront se loger à Brossard à la suite de l'installation d'un nouvel égout.

(mauvais cadrage)

Les méthodes d'enseignement en vigueur dans les écoles secondaires produisent des candidats de niveau collégial qui ne savent pas lire.

(bon cadrage)

Marcel André, un jeune diplômé du secondaire, ne sait pas lire parce que les méthodes d'enseignement en vigueur dans la province ne sont pas adéquates.

Donc, plus le cadrage est clair et précis ... plus l'idée s'exprime simplement... plus les détails sont spécifiques et personnels... plus le verbe est actif... plus le lien entre une idée et sa relation à des gens est fort... plus l'histoire deviendra compréhensible.

Si un cadrage est bien fait, s'il est simple et direct, tout le reportage en sera inspiré.

L'idée principale de l'histoire transparaîtra lors de la diffusion du topo ainsi que pendant la lecture du texte de présentation.

L'auditeur doit tout de suite saisir le pourquoi de l'histoire qu'on veut lui raconter. Le plus tôt sera le mieux. Voilà ce qui va l'inciter à vouloir connaître les détails. C'est là l'objet de toute communication, de toute histoire : associer les personnes et les idées.

CHAPITRE 3

LE STYLE PARLÉ

3 - LE STYLE PARLÉ

INTRODUCTION

Des caractéristiques de la radio et des particularités de l'écriture radiophonique, on peut déduire quelques règles simples (qui ne sont évidemment pas des règles absolues mais plutôt des points de repère). On les retrouve généralement dans divers manuels ou guides de rédaction dont ceux de l'UPI, de Associated Press, de la BBC, d'Aspinall et de McLeish.

La grande préoccupation du journaliste radiophonique sera **d'écrire pour l'oreille**. Et de ne pas oublier que, même s'il fait un travail sérieux, il n'a pas le droit d'ennuyer son public.

"Savoir choisir les éléments d'un reportage et les placer au bon endroit de façon à donner à l'auditeur l'illusion que le reporter est en prise directe sur les faits dont il rend compte d'une façon à la fois compétente et divertissante. (...) Un bon bulletin de nouvelles doit être pétillant." (Guide de rédaction de l' UPI cité par Wimer et Brix, p. 14 et 15)

Il ne suffit pas que le texte soit clair, concis, précis, pétillant. Il faut qu'il soit conçu et écrit pour être entendu.

"Il n'est pas possible d'atteindre la clarté à moins d'avoir bien présent à l'esprit le fait qu'il vous faut écrire pour quelqu'un qui écoute sans vous voir. Vous devez vous habituer à penser en fonction du son." (Guide de rédaction de l' Associated Press cité par Wimer et Brix, p. 15)

PRINCIPES GÉNÉRAUX

Nous allons aborder au chapitre 4 les "règles" propres à la rédaction de l'amorce, puis au chapitre 5, quelques préceptes complémentaires valables pour l'ensemble de la nouvelle. Avant d'y arriver, il est possible d'identifier quelques principes généraux qui permettent de distinguer le style parlé.

3.01 UTILISER UN VOCABULAIRE USUEL, FACILEMENT COMPRIS PAR LA MAJORITÉ DES GENS

"Cela ne veut pas dire qu'il faille bannir absolument les mots rares ou recherchés; on peut avoir besoin d'utiliser un mot peu connu, mais alors il faut l'expliquer dans une courte phrase." (Aspinall, p. 94)

Mais, avant tout, il est impérieux d'éviter les jargons (bureaucratique, institutionnel ou scientifique), les clichés, les formules toutes faites. Il faut également ne pas céder à la tentation d'utiliser les mots mêmes du porte-parole, de l'expert, du relationniste ou du technicien que nous avons rencontré ou consulté. Notre rôle n'est pas de parler comme les experts mais bien de traiter de manière simple de réalités complexes. L'objectif à atteindre est **la clarté**. Il faudra donc traduire les jargons, décoder les messages en langage clair et accessible en utilisant un vocabulaire usuel propre au style parlé.

L'UPI incite ses rédacteurs à avoir recours à des termes familiers et ajoute :

"...les expressions familières généralement acceptées peuvent s'employer avec avantage dans la rédaction des nouvelles radio. Il ne s'agit pas de vulgarismes ni de maniérismes, mais bien d'expressions familières simples, faciles à comprendre pour l'homme moyen."
(Wimer et Brix, p. 15)

(vocabulaire technique)

La commission Forget prône l'annualisation du système d'assurance-chômage, un calcul des prestations fondé sur la rémunération des 52 dernières semaines et le versement de prestations pendant une période maximale de 50 semaines. Le rapport préconise un régime d'accumulation de droits et la mise en place graduelle d'un régime d'assurance-chômage qui ferait passer de 13 à 52 semaines la période de référence pour établir le revenu assurable.

"Annualisation", "calcul des prestations", "régime d'accumulation de droits", "période de référence", "revenu assurable" sont des expressions techniques qui appartiennent au jargon des fonctionnaires. Nous devons décoder ces jargons et les traduire en termes simples. Pour y arriver, il faut bien connaître le sujet traité. Si l'idée principale de la réforme est que les sommes touchées par les chômeurs varieront en relation avec le nombre de semaines travaillées (celui qui a accumulé 52 semaines de travail toucherait plus que celui qui n'en a que 13), le défi est de livrer cette idée en termes clairs. Ce que n'a pas réussi l'auteur de la nouvelle. La première phrase de cette nouvelle est beaucoup trop longue (35 mots). Le texte corrigé devrait être composé de phrases courtes et de mots facilement compris par la majorité des auditeurs.

La convention de travail des 150 forestiers de la Q.N.S., membres de la CSN, est échue depuis samedi... (voir 6.07)

Le contrat de travail des 150 forestiers de la Quebec North Shore est échu depuis samedi...

"Contrat de travail" a un caractère moins technique que "convention de travail". Personne ne sait que Q.N.S. signifie Quebec North Shore; sauf peut-être les gens de l'entourage de l'entreprise. "Membres de la CSN" n'est pas un détail pertinent à moins que dans le contexte cette allégeance ait une influence sur la suite des événements. La nouvelle corrigée est plus claire et elle est dépouillée d'éléments secondaires qui n'apportent rien à sa compréhension.

3.02 FAIRE DES PHRASES COURTES

La tentation est forte de vouloir tout dire en quelques phrases seulement. On risque ainsi de se retrouver face à des phrases trop longues. En langage parlé, il est préférable de construire des phrases courtes contenant, si possible, une seule idée. Il faut combattre aussi la monotonie qui découlerait d'une uniformité trop grande dans la façon de construire ses phrases.

(phrases trop longues)

Le projet d'usines génératrices d'électricité à partir du rebut des forêts a refait surface la semaine dernière à Fredericton, au cours de la conférence Sylvicon 87, à laquelle assistaient quelque 250 représentants de l'industrie forestière des Maritimes.
Invité à prononcer une allocution au cours d'un déjeuner causerie, le président de la forestière Fraser, Knutt Grotterod, s'en est pris à l'aspect financier et logistique du projet   qu'il considère comme un programme social déguisé.

Le président de la forestière Fraser s'en prend au projet de production d'électricité à partir du rebut de la forêt. Monsieur Grotterod y voit un programme social déguisé. Lors d'une conférence à Fredericton la semaine dernière, il a surtout critiqué l'aspect financier et logistique du projet.

Les deux seules phrases de la nouvelle originale ont respectivement 40 et 41 mots. C'est lourd et difficile à lire. Certains éléments secondaires (comme "250 représentants de l'industrie" et "invité à prononcer une allocution au cours d'un déjeuner causerie") peuvent être éliminés avec profit.

"Il faut (...) éviter de hacher le texte par une succession monotone de petites phrases. La variété dans la longueur des phrases donne de la vie au texte, compte tenu qu'elles ne doivent pas dépasser en longueur le nombre de mots que l'on peut aisément prononcer d'un trait, sans reprendre son souffle."
(Aspinall, p. 94)

Il ne faut pas non plus être obsédé par la nécessité de construire des phrases courtes. Entre une phrase courte et une phrase longue, on choisit généralement la première. Cependant, la phrase courte ne sera pas nécessairement claire.

Ce qui rend une phrase claire, ce n'est pas uniquement sa longueur, mais la manière dont les mots sont naturellement regroupés entre eux au moment où on la dit.

"Certaines phrases peuvent être longues et néanmoins faciles à comprendre. D'autres peuvent être courtes et difficiles à saisir. Une écriture simple exige beaucoup plus que de limiter sa phrase à un certain nombre de mots."

"Les phrases courtes sont les plus fréquentes en radio et en télévision. C'est logique. Nous utilisons beaucoup de phrases courtes en parlant. Mais nous utilisons aussi des phrases longues. Si vous croyez devoir écrire une phrase longue, n'hésitez pas à le faire si vous en avez simplifié la teneur."

(Wimer et Brix, p. 59)

3.03 RESPECTER LE RYTHME DU LANGAGE PARLÉ

La plus grande tentation quand on cherche ses mots, c'est de choisir ceux que l'on a devant les yeux dans le journal ou sur le fil de presse. Ces mots ne sont pas toujours ceux qui conviennent au rythme du langage parlé.

(texte qui ne respecte pas le rythme du langage parlé)

Le soldat Pierre Côté, du Royal 22e Régiment de Québec, blessé samedi dans une avalanche survenue à Tignes, dans les Alpes françaises, a pu quitter l'hôpital St-Michel de Bourg St-Maurice, aujourd'hui. Après l'accident qui a coûté la vie au caporal Serge Bouffard, emporté par l'avalanche, l'entraînement de la trentaine de militaires canadiens, encadrés par cinq moniteurs des chasseurs Alpins français, a repris dès hier. Le corps du caporal Bouffard serait rapatrié demain à Lahr puis rapidement vers Québec; une cérémonie militaire doit se dérouler demain à Bourg St-Maurice, où les camarades du caporal Serge Bouffard, 28 ans, originaire de Lévis, lui rendront un dernier hommage.

Ici, le rédacteur a voulu donner beaucoup de détails en peu de temps. C'est louable mais il ne s'est guère soucié de la difficulté de lire un tel texte. Il sera probablement le seul à pouvoir le lire adéquatement. Et encore! Sans être vulgaire, l'écriture radiophonique doit s'inspirer beaucoup plus du rythme habituel du langage parlé.

Deux soldats canadiens sont au nombre des victimes d'une avalanche survenue samedi dans les Alpes françaises. Serge Bouffard de Lévis y a perdu la vie. Il avait 28 ans. Pierre Côté de Québec a subi des blessures qui ont nécessité son hospitalisation jusqu'à ce matin. Dès hier, leurs trente collègues reprenaient l'entraînement et demain, ils rendront un dernier hommage au disparu dont le corps sera rapatrié à Québec.

*La première version de la nouvelle a 112 mots. La deuxième, 71. Les phrases du deuxième texte sont courtes et on pourrait les retrouver dans la bouche de quelqu'un qui raconte l'histoire sans texte dans un français correct mais simple. Dans la version corrigée, on a éliminé des répétitions encombrantes (**avalanche, Serge Bouffard, demain**) et des détails inutiles (le nom de l'hôpital, l'encadrement des moniteurs français, le saut à Lahr, la cérémonie militaire).*

"Un texte radiophonique doit "couler", comme de la poésie. Cette fluidité contribue à tenir l'auditeur en haleine."
(Aspinall, p. 94)

Il est bon de répéter à haute voix un texte fraîchement rédigé. Il est même préférable de le faire avant de se présenter en studio. C'est une bonne façon de voir si ce que l'on a écrit se dit bien. Cette lecture est presque toujours suivie de corrections qui améliorent son rythme et qui lui donnent un peu plus l'allure du langage parlé.

"Un rédacteur radiophonique d'expérience va vous dire qu'il entend son texte à mesure qu'il l'écrit. Il a formé son esprit à travailler en fonction du son, plutôt que de la vue (...)."
"Apprendre à entendre son texte à mesure qu'on l'écrit,

c'est une habileté difficile à acquérir mais utile pour la rédaction radiophonique. La meilleure façon de déterminer si votre texte s'écoute bien, c'est de le lire à haute voix. Murmurez-le tout en l'écrivant. Si vous avez utilisé des mots ou une suite de mots difficiles à lire ou encore si votre texte vous rend à bout de souffle, vous pouvez être sûr que le lecteur aura les mêmes difficultés." (Wimer et Brix, p. 57)

3.04 DONNER UN TOUR DIRECT AU RÉCIT

La meilleure façon d'arriver à donner un tour direct au récit est de se convaincre qu'on s'adresse à une personne en particulier et non à un public absent et difficile à visualiser.

L'idéal est que l'auditeur sente que le lecteur lui parle plutôt que de lui lire un texte. Même si tout est préparé et écrit à l'avance, il faut transmettre une impression de spontanéité et de naturel. On y parvient en se concentrant beaucoup plus sur la qualité de la communication avec l'auditeur que sur la crainte de mal lire son texte.

Mais, c'est aussi une question de rédaction. Il faut, par exemple, éviter les phrases alambiquées, les juxtapositions et les circonlocutions.

À ÉVITER

Alain Chapleau, 27 ans, surnommé "soldat", ex-employé du garage municipal de St-Basile-le-Grand, qui travaillait tout près de l'entrepôt de BPC, le 23 août, et qui ne sait ni lire ni écrire, a été formellement accusé d'y avoir volontairement mis le feu, cet après-midi, au Palais de justice de Longueuil, après avoir signé hier une déclaration au quartier général de la rue Parthenais à Montréal où il admettait l'avoir fait avec une fusée de secours et après avoir été interrogé par des enquêteurs de la Sûreté du Québec où il était détenu depuis mardi soir au moment de son arrestation à St-Amable.

COMMENTAIRES

Cette phrase est beaucoup trop longue (109 mots). Elle est source d'obscurité et est éloignée du tour direct que nous voulons donner au récit radiophonique et plus particulièrement au journal parlé. La courte analyse qui suit en témoigne.

Par exemple, une circonlocution est définie par les dictionnaires comme "une manière de parler dans laquelle on exprime sa pensée de façon indirecte." "Qui ne sait ni lire ni écrire" est une circonlocution ou périphrase

qu'on peut remplacer tout simplement par "analphabète".
"27 ans, surnommé soldat ,ex-employé du garage mu-
nicipal de St-Basile-le-Grand, qui travaillait tout près de
l'entrepôt de BPC, le 23 août, et qui ne sait ni lire ni
écrire..." sont des propositions juxtaposées c'est-à-dire
qu'elles ne sont pas liées de manière coordonnée. Elles
forment une juxtaposition.
"...au Palais de justice de Longueuil après avoir signé
une déclaration au quartier général de la rue Parthenais
à Montréal où il admettait l'avoir fait après avoir été
interrogé par des enquêteurs de la Sûreté du Québec où
il   était détenu depuis mardi soir au moment de son ar-
restation à St-Amable" est une phrase alambiquée qui
rend le propos obscur.

Un jeune homme de 27 ans, Alain Chapleau, admet avoir
mis le feu à l'entrepôt de BPC de St-Basile-le-Grand, le
23 août dernier. Chapleau que l'on surnomme "soldat" en
a été formellement accusé cet après-midi au Palais de justice de Longueuil. Analphabète, il a travaillé au garage
municipal de St-Basile jusqu'à dimanche dernier. Mardi,
la Sûreté du Québec l'arrêtait à St-Amable. Des enquêteurs
l'ont interrogé et hier, il a finalement avoué qu'il avait
allumé l'incendie avec une fusée de secours.

Le nouveau texte a 93 mots. L'essentiel de la nouvelle a
été communiqué avec 17 mots de moins que dans la
première version. Les phrases sont plus nombreuses et
plus courtes. Le propos est plus direct et moins alam-
biqué. Le présent est utilisé dans l'amorce (voir chapitre
5) et plusieurs élements secondaires ont été éliminés.

**"Du point de vue de l'auditeur, tout ce qui sort de son
récepteur est en train d'arriver "maintenant" ; et il
s'y intéressera dans la mesure où il aura l'impression
que cela s'adresse à lui personnellement ou le concerne directement. Il faut toujours se placer dans
cette perspective quand on écrit des textes pour la radio et en particulier des textes destinés à l'animation
d'antenne : elle détermine le choix des mots et, pour
ainsi dire l'angle de tir."** (Aspinall, p. 92)

▬▬▬▬ 3.05 ÉVITER LES INVERSIONS ET LES SUBORDONNÉES

Le **Petit Larousse** illustré définit une inversion comme une "construction par laquelle on donne aux mots un ordre autre que l'ordre normal ou habituel". Et **Grevisse**, définit une subordonnée comme une "proposition qui est dans la dépendance d'une autre proposition".

Les inversions et les subordonnées sont très fréquentes dans l'écrit mais plus rares dans la conversation. Elles sont aussi très usitées dans les amorces de nouvelles conçues pour la presse écrite. Il faut donc les éviter puisqu'elles nous éloignent du style parlé.

(inversion et subordonnées)

Au Juge en chef de la province, la section ontarienne du Barreau canadien s'associe afin que les lenteurs dans l'administration de la Justice soient dénoncées puisqu'elles nuisent à son bon fonctionnement.

Dans la première partie de cette phrase, nous sommes en présence d'une inversion du complément d'objet indirect. Ce type d'inversion est propre à l'écrit.
"...les lenteurs dans l'administration de la Justice soient dénoncées..." et "...elles nuisent à son bon fonctionne-ment..." sont des subordonnées qui alourdissent le texte. Pourtant, il est possible de les traiter séparément et même de les éliminer.

La section ontarienne du Barreau canadien dénonce à son tour les lenteurs du système judiciaire. Récemment, le Juge en chef de la province affirmait que ces lenteurs nuisaient à son bon fonctionnement.

Nous reviendrons sur cette question au chapitre 5 qui traite de la rédaction de L'AMORCE.

▬▬▬▬ 3.06 UTILISER DE PRÉFÉRENCE LES MOTS AYANT UNE VALEUR DESCRIPTIVE

Nos propos sont souvent abstraits. Nous devons exposer des concepts, décrire des réalités difficiles à cerner. L'écriture radiophonique ne s'appuie pas sur des images que l'auditeur peut voir. Il faut donc l'aider à se faire une idée de ce dont on parle en utilisant, lorsque l'occasion se présente, des mots qui ont une valeur descriptive.

*"...pour vous donner une idée de l'importance du dra-gage, la quantité de matériel de sédiments que l'on va retirer dans les rivières est de **156** mille mètres cubes. Cela représente en volume* rien de moins que le Colisée de Québec."

"Faites appel à des images et des mots simples, imagés, concrets, vivants - et exacts, bien sûr!"
(Martin-Lagardette, p. 46)

"Une ménagère, un chaffeur de taxi, une limousine..." ces mots ont une valeur descriptive et nous permettent immédiatement d'imaginer la si-tuation et d'en voir mentalement les acteurs. La radio stimule l'imagination, on le sait, mais un bon texte fait de mots qui ont une valeur descriptive aide l'auditeur à mieux saisir ce dont on veut lui parler. (voir 6.01)

3.07 ÊTRE EXACT, CLAIR ET PRÉCIS

Mais au-delà de tout cela, le plus important est la justesse, l'exactitude, la clarté et la précision du propos. Une erreur dans un bulletin de nouvelles peut être corrigée dans le prochain. On ne sera jamais sûr cependant que le public trompé sera là au moment de la correction.

Notre souci de chercher à communiquer efficacement ne doit jamais nous éloigner du sens profond de l'information à transmettre. Il ne faut pas dénaturer la nouvelle pour le plaisir de respecter une "règle" de rédaction. Entre "plus d'efficacité" dans la livraison d'un message et "plus d'exactitude", il faut toujours choisir la deuxième voie.

"L'Associated Press a toujours exigé par-dessus tout l'exactitude des faits. Ne vous écartez pas des faits. Récrivez toujours votre texte à partir de la source première de l'information et non pas à partir d'un texte écrit par un autre. L'exactitude de l'information est particulièrement importante en radio puisque cer-taines nouvelles passent à l'antenne sitôt rédigées."
(Manuel de l'AP cité par Wimer et Brix, p. 17)
(inexactitudes)

(Inexactitudes)

Le conflit qui oppose l'homme d'affaires Raymond Malenfant à la CSN déborde Charlevoix et menace de faire des victimes à Tadoussac.

Tadoussac, c'est le point d'embarquement pour les excursions à la baleine organisées dans la rivière Saguenay. L'entreprise privée craint que les efforts et l'argent investis dans l'industrie des croisières à la baleine soient anéantis par ce conflit de travail...

L'expression "faire des victimes" est mal choisie pour décrire les difficultés que risque de connaître l'industrie touristique à cause du conflit. "Anéantis" est aussi un mauvais choix de mot. Comment peut-on anéantir de l'argent?

"Vérifiez et contre-vérifiez tous les faits, les chiffres, les noms. En radio ou en télévision neuf corrections sur 10 touchent un auditoire tout à fait différent de celui qui a entendu l'erreur. S'il y a lieu de faire des corrections, c'est avant la diffusion du texte qu'il faut les apporter." (Manuel de UPI cité par Wimer et Brix, p. 17)

(manque de clarté)

Le groupe Auberge des Gouverneurs a presque doublé son bénéfice net en 1986. Il a atteint 670 mille dollars comparativement à 371 mille en 1985. Cette augmentation est principalement attribuable à la hausse des taux d'occupation et des tarifs des chambres. Le groupe exploite 10 hôtels comprenant mille 653 chambres au Québec. Une première émission d'actions en décembre a rapporté un bénéfice net de 26 cents par action.

"Bénéfice net" est utilisé pour décrire deux réalités. Ce manque de clarté est source de confusion.

(manque de précision et de clarté)

"L'urgence de l'Hôpital Général de Vancouver est située à quelques minutes de l'Hôpital Saint-Vincent. Ici, on pourrait recevoir plus de patients. Mais cela aurait un effet d'entraînement sur le nombre d'admissions. On aurait donc besoin de plus de subventions."

En quoi le fait de recevoir plus de patients peut-il avoir un effet d'entraînement sur le nombre d'admissions et sur le besoin d'accroître les subventions? Le propos est imprécis. La démonstration n'est pas claire. Et l'auditeur ne comprend pas immédiatement ce qu'on veut lui dire.

███████ 3.08 ÉVITER LES CONSONANCES MALHEUREUSES

Le choix des mots affecte également la "sonorité" de la nouvelle. On doit ainsi éviter trop de consonances semblables dans une même phrase : de là l'importance de lire sa nouvelle à voix basse avant de la diffuser.

(consonances malheureuses)

Un prête italien habit**ant** l'Ir**an** depuis 26 **ans** et parl**ant** le pers**an** affirme que les étudi**ants** ravisseurs de Téhér**an** envisagent de libérer quelques otages rapidem**ent.**

"Conformém**ent** aux engagem**ents** pris entre les deux gouvernem**ents** quant à leur volonté de lancer conjointem**ent** une campagne d'encouragem**ent** à l'embauche d'étudi**ants...**"

CHAPITRE 4

UNE DÉFINITION
DE LA NOUVELLE

4 - UNE DÉFINITION DE LA NOUVELLE

Comme ce guide est destiné principalement aux journalistes des salles de **nouvelles** radio, il est utile de s'arrêter un peu sur la notion même de nouvelle.

Il y a plusieurs façons de définir la nouvelle. En fait, les définitions sont très nombreuses. Mais dans les manuels ou divers ouvrages consacrés à la question, trois critères reviennent constamment : **actualité, pertinence** et **intérêt public**. D'où la définition suivante :

"Ce qui vient d'arriver ou qui va se produire (actualité, instan- tanéité, immédiateté), ce qui est perçu comme pertinent dans l'évolution d'un dossier (pertinence) et ce qui intéresse les gens (goûts et préférences du public mais aussi intérêt public)."

Plusieurs auteurs proposent des définitions similaires, parentes ou voisines où l'on retrouve plus ou moins les mêmes éléments.

Par exemple, Philippe Gaillard, dans **Technique du journalisme**, Que sais-je?, numéro 1429 :

"Actualité, signification, intérêt. En d'autres termes, le journaliste retient ce qu'il y a de nouveau, ce qui est utile à la compréhension, ce qui attirera l'attention..." (p. 86 et 87)

Mais aussi, Jean-Louis Martin-Lagardette dans **INFORMER, CON- VAINCRE : les secrets de l'écriture journalistique** :

"Trois impératifs contraignent immanquablement le rédacteur : l'actualité, l'intérêt du lecteur et la ligne éditoriale de la publication." (p. 18)

Ou encore Robert McLeish dans **THE TECHNIQUE OF RADIO PRODUCTION** :

"La meilleure définition sommaire d'une nouvelle, c'est ce qui est nouveau, intéressant et vrai." (p. 87)

Richard Aspinall dans son **GUIDE DE PRODUCTION RA-DIOPHONIQUE** est moins précis :

> **"Ce peut être tout et n'importe quoi : tout ce qui est arrivé récemment et dont nous n'avons pas encore entendu parler, et tout ce qui est sur le point d'arriver."** (p. 113)

Dans le choix des nouvelles qui seront diffusées, le journaliste radiophonique s'inspirera plus ou moins consciemment de définitions comme celles qui précèdent et il tiendra compte de bien d'autres facteurs dont le mandat de sa station, sa vocation régionale ou nationale, les politiques générales de l'entreprise (en particulier, dans le cas de Radio-Canada : LA POLITIQUE JOURNALISTIQUE), la nécessité de plaire à son public, l'encadrement légal et juridique...

> **"Le premier travail du journaliste, à quelque point du circuit de l'information qu'il se trouve, est donc de choisir les événements dont il va faire des nouvelles en les publiant. Chaque journaliste, quelle que soit sa fonction, doit, plusieurs fois par jour, prendre une décision de choix. (...) Il faut donc insister sur ce choix, phase méconnue de l'activité journalistique, parce qu'elle ne se traduit pas par un travail concret, mais cependant phase première et déterminante du mécanisme de l'information."** (Gaillard, p. 28 et 29)

Et lorsque son sujet sera choisi, il devra aborder un autre processus de sélection qui permettra d'identifier et de retenir les quelques éléments qui constitueront les matériaux d'une nouvelle de quelques lignes. D'où l'intérêt de la notion de cadrage que nous avons abordée au chapitre 2.

CHAPITRE 5

LA RÉDACTION
DE L'AMORCE

5 - LA RÉDACTION DE L'AMORCE ████████████

INTRODUCTION

L'amorce ou le "lead" (ou encore l'attaque) est la partie la plus importante de la nouvelle. Une bonne amorce permet à l'auditeur de saisir immédiatement ce qu'il doit savoir pour comprendre le sens de la nouvelle et pour interpréter adéquatement ce qui va suivre.

Les nouvelles radiophoniques ne sont pas chapeautées par des titres (comme dans la presse écrite ou même parfois comme à la télévision grâce à diverses techniques d'illustration graphique).

Bien sûr, ces nouvelles sont parfois précédées d'une manchette, mais la manchette est présentée au début de l'émission. Elle ne revient pas en cours de bulletin. Certains auditeurs risquent de ne pas savoir à quel moment exact une nouvelle est terminée et quand la suivante commence.

DÉFINITION

Il est donc très important que les premiers mots d'une nouvelle situent bien l'auditeur pour qu'il puisse suivre sans effort le déroulement de l'émission. L'amorce correspond au **premier paragraphe** d'un article ou du texte lu par l'animateur pour présenter une nouvelle complète ou pour introduire un topo. C'est donc le premier élément d'une nouvelle.

L'attaque (ou l'amorce) "comporte l'essentiel de l'information : ce qu'il y a de plus neuf, de plus significatif et de plus intéressant." (Gaillard, p. 88)

LES "RÈGLES"

Les "règles" générales de l'écriture radiophonique développées au chapitre 6, ainsi que les principes qui distinguent le style parlé (chapitre 3) s'appliquent évidemment à la rédaction de l'amorce. Il est cependant utile de s'attarder à certaines observations spécifiques à la rédaction des premiers mots d'une nouvelle.

L'amorce doit être courte, simple, facile à comprendre et elle doit capter l'attention de l'auditeur. Il n'y a pas de recette miracle pour rédiger une bonne amorce. Mais un certain nombre de techniques existent pour nous faciliter le travail.

5.01 LES CINQ QUESTIONS FONDAMENTALES

La bonne vieille technique de la pyramide inversée ou de l'entonnoir est toujours valable, surtout en presse écrite. Elle consiste à dire les choses les plus importantes au début ou encore à **"placer les éléments dans un ordre décroissant d'importance."** (Gaillard, p. 89)

En radio, il faut l'adapter aux caractéristiques du média puisque, contrairement à l'oeil et au cerveau qui acceptent de descendre en entonnoir pour fabriquer leur compréhension de la nouvelle, l'oreille préfère la mise en situation et le respect de la chronologie une fois qu'elle a été fortement invitée à écouter un message clair et percutant.

Pour y arriver, un autre vieux truc est fort utile, soit le recours aux cinq fameuses questions fondamentales (les cinq **"W"** de l'École américaine). Si on répond rapidement (en radio, il n'est ni souhaitable ni possible de le faire dès la première phrase comme dans un journal) à cinq questions simples (Qui? Quoi? Où? Quand? Pourquoi?), il y a de fortes chances qu'on se trouve en présence d'une bonne "amorce".

Quoi? Que se passe-t-il, quelle est l'action de la nouvelle?

"QUOI? C'EST L'ACTION, LE VERBE DE LA PHRASE :

**(la situation) est bloquée (entre les partenaires)
(une réunion) a lieu...
(des policiers) arrêtent...
(le syndicat) met en garde (le gouvernement)
(les tarifs) baissent..."**

(Martin-Lagardette, p. 30)

Qui? Quel est l'acteur ou le sujet de l'événement, quelles sont les personnes touchées par cet événement?

"QUI? C'EST LE SUJET DE L'INFORMATION :

**un homme (entreprend une telle action, fait telle déclaration)
un événement (a lieu : manifestation politique ou culturelle, une décision sociale, etc.)
un fait (le coût de la vie augmente de tant, un vol est commis, etc.) "** (Ibidem, p. 30)

Où ? Où l'événement se déroule-t-il, d'où provient la nouvelle, est-ce arrivé près ou loin de nous ?

"Où" Dans tel pays, tel département, telle ville, tel établissement, éventuellement dans telle salle. Ces précisions de lieu sont indispensables. Le lecteur réagit souvent en fonction de la proximité géographique de l'information."
(Ibidem, p. 30)

Quand? Quand cela s'est-il produit, est-ce une affaire récente ou ancienne, les prochains développements seront-ils connus aujourd'hui ou dans les jours qui suivent?

"Quand? Hier, le 15 mars dernier, d'ici une quinzaine de jours, etc. On n'indique pas l'année en cours sauf dans les premiers jours de la nouvelle année pour éviter toute confusion."
(Ibidem, p. 30 et 31)

Pourquoi? Pourquoi cela s'est-il produit, y a-t-il un lien de causalité entre l'objet de la nouvelle et un autre élément d'actualité?

"Pourquoi? Les causes, les objectifs, les raisons du fait relaté :

- pour protester contre l'augmentation des charges (les locataires décident que...); - parce qu'il veut en finir avec le travail au noir (le gouvernement impose...), etc."
(Ibidem, p. 31)

(dépêche de l'AFP, le 24 février 1988)

Dix-sept des principales organisations antiségrégation-nistes (qui)** d'Afrique du Sud **(où)** et la grande confédéra-tion syndicale noire du pays, le Congrès des syndicats sud-africains (COSATU) **(qui)** se sont vu interdire **(quoi)** hier **(quand)** toute activité politique, aux termes d'une proclamation du président **(pourquoi)**, Monsieur Pieter Botha **(qui).

Cette amorce est bonne pour l'écrit mais trop chargée pour l'oreille. Elle répond aux cinq questions fondamentales dès le premier paragraphe de la nouvelle et convient parfaitement aux exigences de la presse écrite. C'est souvent sous cette forme que proviennent les dépêches des agences dans les salles de rédaction des stations de radio. Il faut les adapter pour les rendre conformes aux normes du style radiophonique.

Dans un journal, une bonne amorce permet souvent de répondre aux cinq questions fondamentales dès la première phrase. On ne peut faire la même chose en radio. Ce qui se lit bien devient beaucoup trop lourd à entendre.

"Ne tentez pas d'en dire trop dans votre première phrase. L'auditeur radiophonique exige un peu de temps pour se réadapter après chaque nouvelle. Laissons-lui un temps d'accalmie.
Les amorces radiophoniques doivent être simples mais pas si simples qu'elles ne laissent rien voir de l'objet de la nouvelle." (Manuel de UPI cité par Wimer et Brix, p. 61)

"Les questions fondamentales sont importantes, mais n'essayez pas d'y répondre dans la même phrase."(Manuel de AP cité par Wimer et Brix , p. 61)

En radio, la réponse à la question **Quand** est souvent superflue. Pourquoi? Parce que par définition les nouvelles radiophoniques témoignent de ce qui se passe maintenant. Trop "dater" la nouvelle prive la radio d'une de ses forces : l'instantanéité. S'il faut relater un événement ou une déclaration de la veille, il est préférable d'éviter les tournures connues du genre : "...a déclaré hier..." ou "ce matin, Untel a affirmé..." Parce qu'il parle de ce qui se passe maintenant et non de ce que tout le monde sait, le journaliste radiophonique évitera donc de trop se référer au passé. Même si son propos est de traiter un sujet de la veille, il se doit de faire état des *conséquences actuelles de ce qui est arrivé* précédemment et non de répéter ce que l'on sait déjà. Une déclaration ministérielle (à moins qu'elle n'ait été démentie) est toujours vraie aujourd'hui même si elle a été faite hier. En insistant pour préciser qu'elle date de 24 heures, on se prive de l'avantage concurrentiel qu'a la radio sur les autres médias. Même le mot "aujourd'hui" est souvent superflu.

"**La surutilisation de l'adverbe aujourd'hui rend le bulletin d'information monotone. On peut dans un même bulletin avoir 15 rubriques qui se réfèrent à aujourd'hui ; il ne s'agit pas bien sûr d'écraser les auditeurs avec 15 répétitions de l'adverbe en 5 minutes."**
"**Vous pouvez en éliminer certaines simplement par l'utilisation du temps présent."**
"**Par exemple, il suffit de dire : "le Président s'envole pour Paris", sans qu'il soit nécessaire de préciser que c'est aujourd'hui."** (Wimer et Brix, p. 43)

(dépêche de l'AFP sur l'Afrique du Sud datée du 24 février et utilisée dans un bulletin diffusé le 25 alors que la situation n'a pas évolué)

En Afrique du Sud, dix-sept des principales organisations antiségrégationnistes et la grande confédération syndicale noire du pays, le Congrès des syndicats sud-africains sont privés de toute activité politique aux termes d'une proclamation du président, Monsieur Pieter Botha.

C'est un peu lourd, mais il ne faut pas dénaturer la nouvelle pour la rendre plus facile d'accès. Puisqu'il est toujours vrai aujourd'hui que ces groupes sont privés de toute activité politique, il n'est pas nécessaire de répéter aujourd'hui que la proclamation présidentielle date de la veille, à moins que nous jugions pertinent de préciser que cette situation dure "depuis hier." Tout est question de jugement, mais il faut faire l'effort de réduire au minimum les références au passé. Notre tâche sera facilitée lorsque la nouvelle se développera et que nous pourrons témoigner des réactions qu'elle provoque.

(dans un bulletin diffusé à midi...)

Le ministre X a déclaré hier que...

Plusieurs groupes rejettent la politique du ministre X au sujet de...

Souvent aussi l'amorce (qui sera lue par le présentateur) ne répond pas à la question **Pourquoi**. Pour éviter une amorce trop longue, il est préférable dans bien des cas de laisser le reporter répondre à cette question dans son topo. De la même façon, c'est le reporter qui répond à la question **Comment.**

En résumé et en simplifiant (parce que d'autres arrangements sont possibles), on peut dire que :

- le lecteur (ou l'animateur) raconte que telle personne **(Qui)** fait telle chose **(Quoi)** à tel endroit **(Où)**;- et que le reporter explique **Pourquoi** elle le fait et **Comment** cela se déroule.

"Comment? Par quels moyens? De quelle façon?
- (les terroristes revendiquent l'attentat) dans un communiqué adressé à l'AFP;
- selon des modalités encore à définir (la société X va acheter des actions dans la société Y);
- (le fonds de garantie sera constitué) par des prélèvements obligatoires;
- (le vol a été commis) par effraction;
- de source bien informée (l'on apprend que...)"
(Martin-Lagardette, p. 31)

S'il en a le temps et juge la chose pertinente, le reporter décrira aussi les **conséquences** de la nouvelle, la situera dans son **contexte historique** ou évoquera les diverses façons de l'interpréter.

5.02 BRIÈVETÉ

Idéalement, l'amorce d'une nouvelle radiophonique ne devrait comprendre qu'une vingtaine de mots. Un tel effort de concision sera plus facile si, dans le cas d'une amorce suivie d'un topo, le rédacteur limite son propos à répondre à trois des questions fondamentales : **Qui? Quoi? Où?**

Si l'on s'entend pour laisser au reporter le soin de répondre aux trois autres questions **Quand?** (qu'il peut souvent laisser tomber comme on l'a vu précédemment) **Pourquoi? Comment?**, il sera plus facile de rédiger une amorce concise.

Lorsque la nouvelle est entièrement livrée par le lecteur (et qu'elle n'est pas complétée par un topo), il faut évidemment répondre rapidement aux trois questions principales puis au **Pourquoi?** et au **Comment?**

5.03 LE PRÉSENT

Parce que, par définition, les nouvelles radiophoniques s'intéressent à ce qui se passe maintenant ou encore aux conséquences actuelles de ce qui est déjà connu, il faudra, dans la mesure du possible, préférer le **présent** au passé comme **temps** du premier verbe de l'amorce.Le présent permet de faire comprendre que nous parlons vraiment de ce qui se passe maintenant. Pourquoi avoir recours au passé lorsque ce que nous avons appris plus tôt est toujours vrai au moment de la diffusion?

(un verbe au passé dans l'amorce)

Terre-Neuve et les autres provinces de l'Est du Canada ont accepté de participer aux négociations avec la France afin de délimiter la zone de pêche des îles françaises de Saint-Pierre et Miquelon.
C'est ce qui ressort de la rencontre entre le ministre fédéral des Pêches, Tom Siddon, et ses homologues des provinces de l'Atlantique et du Québec, hier, à Moncton, au Nouveau-Brunswick.

(un verbe au présent dans l'amorce)

Terre-Neuve et les autres provinces de l'Est du Canada acceptent de participer aux négociations avec la France afin de délimiter la zone de pêche des îles françaises de Saint-Pierre et Miquelon. Etc.

Même si la nouvelle a été annoncée la veille ou plus tôt dans la journée, elle est toujours vraie au moment de la diffusion du journal parlé. Utiliser le passé équivaut à priver la radio de son avantage concurrentiel. C'est déplorable surtout lorsqu'on constate que les quotidiens (qui relatent presque toujours ce qui s'est passé la veille) ont recours de plus en plus au présent dans leurs titres. De plus, si la radio doit favoriser le présent, c'est aussi parce que c'est le temps qui vient spontanément à la bouche, en français, pour annoncer une nouvelle relativement fraîche. "C'est un garçon!" "Les inondations ravagent.."

Le président Reagan a réaffirmé qu'il n'avait à aucun moment été informé du détournement de fonds provenant des ventes d'armes américaines à l'Iran. Monsieur Reagan a précisé qu'il n'avait appris le versement de certaines sommes aux rebelles du Nicaragua que lundi dernier...

Le président Reagan réaffirme qu'il n'a à aucun moment été informé du détournement de fonds provenant des ventes d'armes américaines à l'Iran. Il précise qu'il n'a appris le versement de certaines sommes aux rebelles du Nicaragua que lundi dernier...

La "règle" du présent dans l'amorce et dans le corps de la nouvelle mérite cependant quelques nuances comme en témoigne la citation suivante.

"L'unique et indispensable avantage de la radio et de la télévision sur les autres médias, c'est l'immédiateté : la rapidité avec laquelle on peut y transmettre la nouvelle aux consommateurs. Pour tirer pleinement parti de cet avantage, plusieurs rédacteurs, au début de la radio, ont pris l'habitude d'utiliser constamment le temps présent(...)"

"Aujourd'hui, il y a des stations qui insistent toujours sur l'utilisation du présent dans la plupart des informations. Certaines sont revenues à l'utilisation constante du passé, comme on le pratiquait autrefois dans les journaux. D'autres ont décidé de recourir à l'utilisation du temps qui convient le mieux à la nouvelle. On emploie le présent, l'imparfait, le passé composé ou le futur, selon le cas. Il ne s'agit pas de contester que l'utilisation logique du présent donne une teinte de fraîcheur aux nouvelles et leur donne un caractère immédiat plus marqué."

"Mais une chose est certaine : n'utilisez pas les formes verbales qui introduisent de l'imprécision dans l'information ou qui donnent à la phrase un ton ampoulé." (Wimer et Brix, p. 39)

Comme nous l'avons vu, les journaux ont fréquemment recours au présent (**Le policier Gosset s'en tire**, Le Devoir, le 25 février 1988; **800 manifestants réclament justice devant le poste de police où a été abattu Griffin,** La Presse, le 28 février 1988). Devancés par la radio et la télévision, ils veulent eux aussi créer une impression d'immédiateté. Le présent inspire plus de dynamisme que les autres temps. Il convient bien à la radio. Il est incontournable lorsque l'événement se déroule au moment de la diffusion de l'émission .

5.04 LA FORME ACTIVE

De la même façon que le **présent** est le temps approprié pour parler de **ce qui est actuel**, la **forme active** est la forme idéale pour décrire une **action**. Bescherelle dans **L'art de conjuguer** (HMH, Montréal) nous rappelle que "le verbe est à la forme active lorsque le sujet fait l'action" et qu'il est "à la forme passive lorsque le sujet subit, reçoit l'action exprimée par ce verbe et faite par un complément d'agent." Il faut donc, dans la mesure du possible, éviter le passif.

(forme passive)

Une entente de principe a été conclue entre la direction de la scierie Benoît et ses camionneurs.
Réunies à Québec jeudi en présence d'un médiateur, les deux parties en sont arrivées à une entente.

(forme active)

Les camionneurs de la scierie Benoît et la direction de l'entreprise concluent une entente de principe. Les deux parties ont réglé leur différend en présence d'un médiateur jeudi à Québec.

Dans la première phrase de l'exemple corrigé, le passif mais aussi le passé sont éliminés. Dans la deuxième phrase, le recours au passé est justifié mais le passif disparaît. Notons que, pour éviter la répétition du même mot dans deux phrases rapprochées, la locution "signer une entente" saute dans la deuxième phrase au profit de "régler leur différend". Il faudra veiller à ne pas trahir le sens de la nouvelle en faisant un tel exercice. Il peut arriver en effet que "régler leur différend" et "signer une entente" ne soient pas équivalents. Tout dépend du contexte de la nouvelle.

(forme passive)

La démission d'André Bissonnette est exigée par Brian Mulroney.

(forme active)

Brian Mulroney exige la démission d'André Bissonnette.

On constate que la forme active est plus intéressante que la forme passive pour le rédacteur de nouvelles qui veut que ses amorces aient de l'impact. La forme active est plus directe, elle décrit mieux l'action, elle requiert en général moins de mots.

En conséquence, il faut, dans la mesure du possible, éviter la forme passive surtout dans l'amorce ou l'attaque. Cette attaque aura moins de vigueur si elle prend la forme passive.

(forme passive)

Le métro de Montréal sera paralysé par une grève si les membres du Syndicat des employés d'entretien de la STCUM rejettent les dernières offres patronales.

(forme active)

Une grève paralysera le métro de Montréal si...

Comme les autres, cette "règle" n'est pas absolue. Il y a des cas où la forme passive ne pourra être évitée. L'important est de faire l'effort de chercher à utiliser autant que possible la forme active afin de donner plus d'impact à notre attaque sans bien sûr sacrifier la précision de la nouvelle ou encore la dénaturer.

La forme passive est souvent utilisée d'une manière abusive dans des tournures directement inspirées de l'anglais qui les affectionne.

(formes passives perverties par des anglicismes)

C'est le premier congrès "à être tenu" à Québec.
La première convention "devant être négociée", "à être négociée..."

Ces tournures sont fréquentes. Elles sont efficaces aussi puisque concises. Mais on semble les utiliser sans se rendre compte qu'elles sont incorrectes alors qu'il est possible, dans ces cas, d'être concis en français sans recourir à des formes passives et sans anglicismes.

C'est le premier congrès tenu à Québec...

Le premier contrat de travail négocié...

5.05 LES TOURNURES POSITIVES

Les tournures négatives sont par définition moins directes que les tournures positives. L'attaque est ralentie par la négation. De plus, y recourir peut donner l'impression qu'on nie ce qui est arrivé alors que le but recherché est de témoigner avec efficacité de ce qui vient de se dérouler ou de ce qui est sur le point de se produire. Il est donc préférable d'éviter les tournures négatives, surtout dans l'amorce.

(tournure négative)

Le rapport tant attendu de la Commission Thompson sur les investissements dans les petites entreprises minières de l'Ontario ne sera pas rendu public avant la fin du mois. Le groupe d'étude analyse les possibilités de créer une bourse des valeurs pour les petits producteurs miniers.

(tournure positive)

Les petits producteurs miniers de l'Ontario attendent toujours la publication du rapport de la Commission Thompson sur les investissements dans cette industrie. La Commission devrait rendre public son rapport tant attendu vers la fin du mois. Elle analyse la possibilité de créer une bourse des valeurs pour les petits producteurs miniers.

Dans l'amorce de la deuxième version de la nouvelle, le positif remplace le négatif et l'accent est mis sur les petits producteurs miniers. (voir la notion de cadrage au chapitre 2)

"Dans bien des rubriques, vous pouvez ajouter de la couleur en passant d'une formulation négative à une formulation positive."

"L'amorce qui commence par une phrase négative manque souvent d'attrait. Cela revient à annoncer à l'auditeur que rien ne se produira. Le rédacteur adroit sait ajouter fréquemment de la force à son texte en passant de la forme négative à la forme positive." (Wimer et Brix, p. 44)

(tournure négative)

Le président du Conseil du Trésor, Paul Gobeil, ne rejette pas l'idée de privatiser certains hôpitaux.

(tournure positive)

Le président du Conseil du Trésor, Paul Gobeil, juge recevable l'idée de privatiser certains hôpitaux.

Comme on le voit, il est possible, sans s'éloigner du sens de la déclaration originale, d'éliminer la tournure négative et de donner ainsi plus d'efficacité à l'attaque.

Il serait absurde d'éliminer totalement tout recours à la forme négative. Il y a des situations où la nouvelle découle du rejet d'une option, d'un refus de commenter, de l'abandon d'un projet, de l'absence de développements nouveaux ou encore de la décision de ne rien faire. Dans tous ces cas, il est bon de tenter d'éviter les tournures négatives. Mais, parfois, il sera préférable d'utiliser un tour négatif pour mieux décrire ces situations.

VOICI UN EXEMPLE DE TOURNURE NÉGATIVE JUSTIFIÉE :

L'accord du Lac Meech ne sera pas soumis au vote à la législature du Nouveau-Brunswick. Le premier ministre Frank McKenna préfère...

Cet exemple fictif constitue un cas où la forme négative serait acceptable. Comme les premiers ministres provinciaux se sont engagés à faire adopter l'accord par leurs parlements respectifs et que la décision de ne pas le faire aurait des conséquences politiques majeures, ce refus constituerait une nouvelle en soi et on serait alors justifié de la présenter par une tournure négative.

▰▰▰▰ 5.06 ALLER À L'ESSENTIEL : EXCLURE LES ÉLÉMENTS SECONDAIRES

Puisque dans l'amorce, il faut rapidement aller à l'essentiel, il est impérieux d'exclure les éléments secondaires. De la même façon, on bannira les mots inutiles. La nouvelle radiophonique ne se prête pas aux descriptions détaillées. Elle ne tolère pas les relations d'atmosphère ou d'ambiance, propres au billet, par exemple.

(éléments secondaires et mots inutiles)

Le Premier ministre, "l'honorable" Brian Mulroney a déclaré ce matin en conférence de presse dans un hôtel du centre-ville de Montréal qu'il avait confiance que son parti remporte les prochaines élections générales.

(même amorce épurée de ses éléments secondaires et de ses mots inutiles)

À Montréal, Brian Mulroney exprime sa confiance dans la victoire de son parti aux prochaines élections générales.

Mots inutiles : "premier ministre", "l'honorable..."
Nos auditeurs savent que Brian Mulroney est premier ministre ; " l'honorable " employé comme titre est un usage anglais.
Éléments secondaires : "...ce matin en conférence de presse dans un hôtel du centre-ville..."
Répondre à la question Quand (réponse : ce matin) est dans ce cas une perte de temps. Sauf si, dans le contexte, il est pertinent d'apporter cette précision. Ce le serait s'il avait dit le contraire la veille.
De plus, le public est probablement indifférent au fait que la déclaration a été faite "en conférence de presse dans un hôtel du centre-ville." Pour lui, cette information n'est d'aucune importance.
La mention de la ville, Montréal, peut cependant être pertinente si des raisons stratégiques poussent le Premier ministre à faire sa déclaration dans cette ville ou s'il a manifesté moins de confiance dans une autre ville.

5.07 CRAINDRE LES INVERSIONS CIRCONSTANCIELLES

Les dictionnaires proposent les définitions suivantes :

Inversion : **" toute construction où l'on donne aux mots un autre ordre que l'ordre considéré comme normal ou habituel"**. (Larousse)

Circonstanciel : **"se dit du complément qui apporte une détermination secondaire de circonstance"**. (Robert)

Ces deux définitions contiennent implicitement plusieurs bonnes raisons d'éviter les inversions circonstancielles. Les inversions présentent les mots dans un ordre inhabituel et souvent contraire à l'ordre normal de la conversation.

De plus, ce qui est circonstantiel "apporte une détermination secondaire de circonstance".

Or, comme nous voulons nous inspirer du style parlé et éliminer les élements secondaires de l'amorce, pourquoi ne pas éviter ces longues inversions circonstancielles qui repoussent trop loin l'essentiel de la nouvelle, ralentissent son rythme? (voir 2.05)

Dans la presse écrite, les amorces contiennent souvent des inversions circonstancielles. Cette pratique convient au style écrit. Elle est étrangère au style parlé. Le souci de tout dire rapidement ne doit pas nous amener à utiliser des propositions circonstancielles lourdes que l'on ne retrouve pas habituellement dans les conversations, surtout si elles sont inversées.

(inversion circonstancielle et participe présent)

Intervenant hier devant la Chambre de commerce de la ville de Chicoutimi, le ministre de l'Emploi et de l'Immigration Benoît Bouchard s'est réjoui de la remontée de son parti dans les sondages.

Douze mots ont été utilisés avant qu'on sache quoi que ce soit de la nouvelle. Cette inversion permet de décrire les circonstances de l'événement mais, outre le fait qu'elle soit étrangère au style parlé, elle retarde l'énoncé de la nouvelle et met l'accent sur ses éléments secondaires.

Même s'il représente un raccourci indéniable dans la presse écrite, le participe présent doit être utilisé avec parcimonie à la radio. Sauf lorsqu'il est précédé de "en", il alourdit considérablement la phrase et éloigne le rédacteur du style parlé qu'il cherche à maîtriser.

Pourquoi ne pas adopter un discours beaucoup plus direct, conforme au style parlé, quitte à donner les détails des circonstances de l'événement plus tard dans le texte si la chose semble pertinente?

(la même nouvelle sans inversion et sans participe présent)

Le ministre de l'Emploi et de l'Immigration, Benoît Bouchard, se réjouit de la remontée de son parti dans les sondages.

5.08 SE MÉFIER DU CONDITIONNEL

Le conditionnel "exprime qu'une chose serait ou aurait été, moyennant une condition. Il exprime également l'éventualité, l'affirmation atténuée." (Bescherelle, p. 7) C'est donc un mode faible. Il faut l'éviter dans l'amorce lorsque cela semble possible. Il ne faut pas cependant changer le sens de la nouvelle dans le but d'éliminer un conditionnel. Comme il permet l'expression de nuances (affirmation atténuée, condition), il est au contraire parfois très utile.

(conditionnel malheureux)

Les douaniers américains à la frontière du Canada **décourageraient** les touristes canadiens d'entrer au New Hampshire, à cause de la situation... (...) C'est l'accusation qu'a portée un représentant démocrate du New Hampshire.

(même nouvelle sans conditionnel)

Un représentant démocrate du New Hampshire accuse des douaniers américains de décourager la venue des touristes canadiens dans son état...

Il est préférable de se servir du conditionnel dans le corps de la nouvelle. Certaines circonstances forcent, cependant, son emploi dans l'amorce, comme les cas des nouvelles encore incertaines ou non attribuées. Dans ces cas, il faut faire preuve d'une grande prudence et ne pas présenter comme vraies des informations non confirmées.

5.09 ÉVITER LA FORME INTERROGATIVE

Sauf exceptions, les interrogations n'ont pas leur place dans une amorce. L'auditeur s'attend à être informé, pas à subir un interrogatoire. Il veut qu'on réponde à **ses** questions et non s'en faire poser.

"Ne commencez jamais une nouvelle par une interrogation. La similitude de démarche entre ce genre d'amorce et les messages publicitaires est de nature à semer la confusion." (Manuel de l' UPI cité par Wimer et Brix, p. 66)

(amorce avec interrogation)

Quand les prochaines élections générales auront-elles lieu? Le premier ministre, Brian Mulroney, refuse toujours de le préciser.

(amorce sans interrogation)

Le premier ministre, Brian Mulroney, refuse toujours de divulguer la date des prochaines élections générales.

Il est tentant parfois de se servir d'une interrogation. Une question peut attirer l'attention de l'auditeur, briser le rythme d'une émission, éviter la monotonie d'un texte trop linéaire. Ces tournures interrogatives sont par contre rares dans le style parlé sauf peut-être dans l'art oratoire. Elles sont généralement un obstacle au discours direct et à la clarté du propos vers lesquels nous tendons.

5.10 SE MÉFIER DES "VERBES D'AFFIRMATION"

Affirmer, déclarer, annoncer, prétendre, dire, etc. sont des verbes auxquels on a souvent recours dans les journaux parlés. On peut les qualifier de "verbes d'affirmation". Ils sont parfois utiles pour exprimer des nuances puisqu'ils ne sont pas synonymes. Toutefois, leur utilisation trop fréquente contribue à alourdir le texte. Dans bien des cas, ils peuvent être éliminés.

À Halifax, la banque de sang de la Croix Rouge affirme ne plus être en mesure de fournir les hôpitaux de la Nouvelle- Écosse et de l'Ile-du-Prince-Édouard.

À Halifax, la banque de sang de la Croix Rouge n'est plus en mesure de fournir les hôpitaux de la Nouvelle-Écosse et de l'Ile-du-Prince-Édouard.

Si l'information a été vérifiée ou qu'il n'y a aucune raison de douter de sa véracité, pourquoi ne pas éliminer ce verbe d'affirmation? Trop souvent nous nous attachons à ce qui est déclaré par divers porte-parole plutôt qu'au contenu même de leur déclaration.

L'AMORCE BIDON OU LA FAUSSE AMORCE

On parle de fausse amorce chaque fois que l'on présente une opinion comme un fait, c'est-à-dire sans en donner la source; ou que l'on donne sous forme affirmative un fait non vérifié, comme si Radio-Canada en assumait l'exactitude. Cette faute très courante découle d'une bonne intention : faire plus direct. Elle mène presque invariablement à l'utilisation subséquente des mots : "C'est ce que..." ou "C'est du moins ce que..." Cette pratique risque de devenir systématique dans nos radiojournaux et de lasser le public. Si l'on ne donne pas la source d'une déclaration dès le début, l'auditeur peut penser que Radio-Canada prend l'affirmation à son compte. **Les guillemets ne s'entendent pas à la radio**. L'attribution préalable d'une source doit donc accompagner toute nouvelle impliquant un blâme ou toute information de caractère douteux ou controversé.

(amorce bidon)

L'avenir de la planète est sérieusement menacé. C'est du moins ce qu'affirme l'Institut Worldwatch de recherches sur l'environnement, à Washington, qui s'inquiète de l'accroissement affolant de la population mondiale depuis 1950 et qui souligne, entre autres, que l'Inde et la Chine sont responsables de 35 pour cent de l'augmentation du nombre des naissances dans le monde en 1986.

Selon l'Institut Worldwatch, un organisme de recherche sur l'environnement, l'avenir de la planète est sérieusement menacé par l'accroissement de la population mondiale depuis 1950. Cet accroissement que l'Institut qualifie d'affolant est particulièrement fort en Inde et en Chine. Ces deux pays sont responsables de 35 pour cent de l'augmentation des naissances dans le monde.

(amorce bidon)

L'Alberta a tout à gagner en développant des liens économiques forts avec l'Inde.
C'est ce qu'a soutenu Larry Shaden, le ministre responsable du développement économique lors de la Foire commerciale Inde-Canada, à Calgary.

Le ministre responsable du développement économique, Larry Shaden, soutient que l'Alberta a tout à gagner à développer des liens économiques forts avec l'Inde...

"Assurez-vous que la source de l'information soit clairement identifiable pour l'auditeur. Lorsque des accusations sont portées ou que des opinions controversées sont citées, assurez-vous que l'auditeur sait bien à qui les attribuer. Il ne doit pas penser qu'il s'agit là de l'agence de presse ou de la station émettrice." (Manuel de UPI cité par Wimer et Brix, p. 17)

(amorce bidon ou fausse amorce)

"Les impôts des particuliers seront augmentés lors du prochain budget. C'est du moins ce qu'affirme le chef de l'opposition..."

"Le sida sera vaincu en l'an 2000. C'est l'opinion du professeur X, chercheur à l'Université Harvard..."

(informations attribuées dès le début de l'amorce)

Le chef de l'opposition, Monsieur Y, croit que le gouvernement augmentera les impôts des particuliers lors du prochain budget.

Selon le professeur X de l'Université Harvard, le sida sera vaincu en l'an 2000.

La question de l'amorce bidon est controversée. La présentation d'entrée de jeu d'une prévision est fort répandue. Plusieurs rédacteurs utilisent fréquemment ce procédé sans sembler s'interroger sur cette pratique. Outre le fait qu'elle s'inspire directement des méthodes de la presse écrite, son utilisation est déplorable puisqu'elle laisse l'auditeur, ne serait-ce que quelques secondes, dans le doute quant à la crédibilité ou l'origine de l'information ainsi véhiculée. Nous sommes ici dans le domaine de l'opinion, de la rumeur et de la controverse et non des faits. Plusieurs fabriquent tout bonnement et par habitude des amorces bidon pour obtenir plus d'impact et comme s'ils exerçaient leur métier dans un journal.

LES SORTES D'AMORCES

Généralement, le premier paragraphe d'un texte contient l'essentiel de la nouvelle. Il y a cependant d'autres catégories d'amorces moins répandues où ce n'est pas le cas.

C'est la raison pour laquelle l'amorce d'une nouvelle ne peut pas toujours servir de manchette ou de nouvelle brève. Même si l'amorce ne contient pas toujours l'essentiel de la nouvelle, elle en constitue cependant la partie la plus importante. Car l'amorce sert aussi à donner le ton de la nouvelle. S'agit-il d'une communication de dernière minute sur une nouvelle importante ou bien d'un reportage à caractère humain qui aurait tout aussi bien pu passer la veille ou le lendemain? Où la nouvelle intervient-elle dans le déroulement du journal radiophonique? Depuis quand cette question est-elle dans l'actualité? Autant de questions qui ont une influence sur le type d'amorce qui convient le mieux.

Il y a quatre catégories d'amorces : deux qui se réfèrent au contenu même (l'amorce contenu et l'amorce en douce), deux qui se réfèrent au nombre d'éléments compris dans la nouvelle (amorce simple et amorce parapluie).

L'AMORCE CONTENU

L'amorce contenu ("hard lead") met l'accent sur les éléments les plus nouveaux d'une information et sur son contenu. Elle contient l'élément fondamental et l'essentiel de la nouvelle. Tous les cas d'amorces qui ont été cités précédemment entrent dans cette catégorie.

(amorce contenu)

Cinq hôpitaux du Québec seront gérés par des entreprises privées. Le président du Conseil du Trésor, Paul Gobeil, rend publique sa nouvelle politique...

L'amorce contenu est utilisée pour les premiers reportages d'une nouvelle importante, qu'il s'agisse d'un petit bulletin ou du premier journal majeur qui suit l'événement. Parfois, l'amorce contenu peut et doit changer d'heure en heure (lorsque la nouvelle évolue). Dans ce type d'amorce, on doit se rendre rapidement à l'essentiel : il y a moins de place là que n'importe où ailleurs pour les détails.

L'AMORCE EN DOUCE

L'amorce ou l'attaque en douce ("soft lead") sert au reportage plus léger et au traitement ou à la mise à jour de nouvelles moins fraîches. Cette catégorie d'amorce se propose essentiellement d'attirer l'attention de l'auditeur sur ce qui va suivre, contrairement à l'amorce contenu qui s'impose en présentant le fait brut.

L'amorce en douce ne contient pas nécessairement l'élément fondamental qui donne lieu à la nouvelle.

(amorce en douce)

L'avenir du réacteur nucléaire canadien CANDU s'est assombri aujourd'hui : le Japon a annulé l'achat des réacteurs que l'Agence d'énergie atomique du Canada...

(amorce en douce)

Le Canadien rendait visite ce soir aux Red Wings à Détroit. Le match a été retardé de trente minutes par une panne d'électricité. Après un départ lent, les hommes de Jean Perron ont facilement gagné par la marque de 7 à 2.

Dans les deux cas, la nouvelle n'est pas livrée dès les premiers mots de la première phrase. Sinon, il aurait fallu dire : "Le Japon annule..." et "Le Canadien gagne à Détroit..." On a préparé le terrain avant d'arriver aux

ce qui correspond à une manière progressive de présenter la nouvelle.

L'amorce en douce permet d'éviter la monotonie d'un bulletin construit d'une manière linéaire. Elle est cependant moins féconde que l'amorce contenu si on veut mettre l'accent sur le contenu et sur l'efficacité de la livraison de ce contenu. Mais parfois, même les nouvelles essentielles se prêtent au recours à l'amorce en douce.

(amorce en douce)

Ça devait être la course électorale la plus serrée de l'Alberta depuis bien longtemps. En fait, David Kilgour l'a emporté facilement sur l'ex-ministre provincial Milt Pahl. L'assemblée de mise en candidature du parti conservateur dans la nouvelle circonscription d'Edmonton-sud avait lieu hier soir.

L'AMORCE SIMPLE

Si l'on se réfère au nombre d'éléments contenus dans la nouvelle, on peut distinguer deux catégories d'amorce : l'amorce simple et l'amorce parapluie. L'amorce **simple** ne coiffe qu'une simple nouvelle.

(amorce simple)

L'ancien premier ministre de la Saskatchewan, Allan Blakeney, quitte son siège à l'Assemblée législative de sa province pour se consacrer à l'enseignement.

L'AMORCE PARAPLUIE

L'amorce **parapluie** est celle qui chapeaute plusieurs nouvelles. Ce dernier type d'amorce ne doit pas être forcé. La règle d'or de l'utilisation de l'amorce parapluie, c'est qu'elle vienne naturellement. Ce sera une bonne amorce si on fait en sorte qu'elle coiffe des éléments se regroupant vraiment pour une raison quelconque. On pourrait s'en servir pour présenter une nouvelle qui comprend plusieurs éléments.

faits; (amorce parapluie)

Le discours du président Reagan sur la situation dans les territoires occupés de Cisjordanie suscite plusieurs réactions à travers le monde.
- Au Canada...
- En Europe...
- Au Proche-Orient...
- Quant à l'URSS...

On pourra également se servir de l'amorce parapluie pour établir des liens entre un ensemble de faits épars ou divers.

(amorce parapluie)

Montréal connaît plusieurs tragédies au cours du week-end.
- À Rosemont, deux hommes périssent...
- Au centre-ville, une inondation...

L'amorce parapluie ne doit pas être placée vers la fin du bulletin, surtout si le temps consacré à ce bulletin et la durée de chaque élément n'ont pas été calculés avec soin : on risque de ne donner qu'un ou deux éléments de la nouvelle et ainsi décevoir l'auditeur qui s'attendait à plus en raison de ce qu'on lui avait annoncé au début.

Enfin chaque élément contenu dans une nouvelle chapeautée par une amorce parapluie doit être bref : une ou deux lignes tout au plus.

CHAPITRE 6

LES AUTRES "RÈGLES " DE RÉDACTION

6 - LES AUTRES " RÈGLES " DE RÉDACTION

La plupart des "règles" d'écriture qui s'appliquent à la rédaction de l'amorce peuvent aussi servir à rédiger le reste de la nouvelle ou le texte du reporter. S'il est impérieux d'adopter un style direct dès les premiers mots de l'attaque, il ne faudra pas se relâcher par la suite et tomber dans les travers que l'on a combattus avec succès.

On ne pourra pas cependant, dans le corps de la nouvelle, toujours s'en tenir au **temps présent** (ce qui serait impossible et ridicule), éviter toute **forme négative** ainsi que le **mode passif** et **le conditionnel.** Tout cela est une question de jugement avec comme seule préoccupation l'efficacité de notre communication et le souci de favoriser le style parlé sans tomber dans les facilités d'un langage trop populaire.

Dans le chapitre précédent, nous avons voulu identifier les "règles" propres à la rédaction de l'amorce. Dans les pages qui suivent, nous ferons l'inventaire de quelques autres règles moins spécifiques à l'amorce mais qui peuvent faciliter nos efforts de rédaction tant dans l'attaque que dans le corps de la nouvelle.

6.01 LES CHIFFRES

Il ne faut pas abuser de l'usage des chiffres. Leur multiplication est source de confusion. Il faut donc **réduire au minimum le nombre de chiffres** dans une nouvelle radiophonique en se demandant s'ils sont vraiment nécessaires à la compréhension du texte. Il faut aussi **bannir les chiffres sans signification,** surtout dans l'amorce d'une nouvelle.

(abus de chiffres)

Le surplus de balance commerciale du Canada s'élève à un milliard 438 millions de dollars jusqu'à maintenant cette année comparativement à deux milliards 400 millions l'an dernier à la même période. Les exportations ont totalisé 20 milliards 800 millions de dollars et les importations 20 milliards 400 millions. L'an dernier à la même période les exportations s'élevaient à 17 milliards 700 millions et les importations à 16 milliards 200 millions.

(même nouvelle avec moins de chiffres)

La balance commerciale du Canada s'est détériorée depuis le début de l'année, comparativement à la même période l'an dernier. Le surplus des exportations sur les importations a baissé d'un milliard et n'atteint plus que 440 millions de dollars. La dévaluation du dollar canadien n'a pas encore réussi à faire monter les exportations et à réduire les achats à l'étranger.

(abus de chiffres)

La troisième plus importante banque américaine, la Chase Manhattan, et la First National Bank of Chicago, la neuvième, ont augmenté leur taux préférentiel d'un demi pour cent. Cette hausse porte les taux d'intérêt à un niveau record de 17 et quart pour cent...

Deux des banques américaines les plus importantes portent leur taux d'intérêt à un niveau record de 17 et quart pour cent...

Pour notre public, le fait que la Chase Manhattan soit au troisième rang des banques américaines ou que la First National Bank of Chicago se classe neuvième a peu d'importance. En les présentant comme "deux des plus importantes", on ne s'éloigne pas de la vérité et on simplifie le propos en éliminant chiffres et détails inutiles. Notons aussi que le texte corrigé aura permis d'éliminer un anglicisme "la troisième plus importante banque".

Lorsqu'on doit avoir recours aux chiffres, il faut les présenter sous **la forme la plus simple**. En général, il est préférable d'arrondir les chiffres et de les présenter en utilisant les tours suivants : "près de...", "environ...", "autour de...", "presque...", "un peu plus de..."

(chiffre précis)

L'actif de Power Corporation sera de 50 289 395 60 $ à la fin de l'exercice financier en cours.

(chiffre arrondi)

L'actif de Power Corporation sera de plus de 50 milliards de dollars à la fin de l'exercice financier en cours.

Il apparaît évident qu'il est préférable d'arrondir un chiffre comme celui-là. On imagine immédiatement l'ampleur de l'actif en entendant l'expression "plus de 50 milliards de dollars" alors que la lecture du chiffre précis (outre sa longueur) diminuera l'efficacité de l'information que l'on veut communiquer.

Il y a cependant des situations où arrondir les chiffres enlève toute signification à la nouvelle. C'est le cas par exemple des statistiques sur le chômage et sur le coût de la vie, mais surtout des variations du taux d'escompte de la Banque du Canada et des taux d'intérêt pratiqués par les institutions financières. Arrondir dans ces cas ferait perdre à la nouvelle sa précision et son sens. On comprend facilement que l'on ne peut écrire que "le taux d'escompte de la Banque du Canada a baissé de quatre centièmes pour cent cette semaine et qu'il est maintenant d'environ 8 pour cent."

Dans la présentation des chiffres , il faut aussi **éviter de forcer l'auditeur à faire des calculs.** S'il doit le faire, il sera incapable d'écouter le reste de la nouvelle.

En particulier, il faut éliminer l'utilisation dans la même phrase ou dans le même texte de pourcentages et de chiffres absolus.

(pourcentage et chiffre absolu)

Les employés d'entretien de la Société XML décident d'aller en grève dans une proportion de 75 pour cent alors que la semaine dernière 695 d'entre eux sur un total de douze cents avaient rejeté le recours à la grève.

L'auditeur, après avoir entendu un tel texte, devra s'arrêter et se mettre à faire des calculs. À quel pourcentage correspond 695 sur 1200? Et il ne sera plus en mesure de saisir le reste de la nouvelle. Au mieux, il ne fera pas de calcul mais il aura été mal informé puisque le rédacteur aura péché par manque de précision en utilisant dans un même texte des données chiffrées qui ne sont pas immédiatement comparables.

Dans bien des cas, il sera même préférable **d'utiliser des fractions ou des multiples** plutôt que des pourcentages. Ou même de donner un ordre de grandeur ou d'utiliser des mots ayant une valeur descriptive plutôt qu'une mesure précise. Ces approximations permettront une meilleure compréhension et il faudra accepter dans certains cas de laisser tomber un peu de précision.

(pourcentage)

73,4 pour cent des employés d'entretien...

(fraction)

Les trois quarts des employés d'entretien...

Pourquoi imposer des chiffres inutiles à l'auditeur ou pis encore lui demander de réfléchir à l'importance relative de chiffres qu'il entend dans le cadre de la présentation d'une nouvelle dont il ne connaît pas encore la teneur ni l'intérêt?

"...l'auditeur devant son poste est un aveugle. Les mots descriptifs l'aident à voir en esprit la scène évoquée. Quand on a le choix, mieux vaut remplacer chiffres et nombres par des équivalents suggestifs (...) Il reste que les mots descriptifs, si on les accumule, peuvent perdre leur efficacité et, au contraire, obscurcir le texte." (Aspinall, p. 94)

6.02 LES NOMBRES

Pour ce qui est de la présentation des nombres, convenons que les chiffres de un (1) à douze (12) doivent être écrits en lettres. On utilise les chiffres pour les nombres de treize (13) à neuf cent quatre-vingt-dix-neuf (999). Au-delà de 999, pour faciliter le travail du lecteur, on écrit en lettres et en chiffres de la façon suivante : 3 mille 457. Comme il faut généralement arrondir les gros chiffres, on écrira : "près de 3 mille 500" plutôt que "3 mille 457".

Les fractions doivent toujours être écrites en lettres, pour éviter toute confusion.

Ne jamais écrire "17 virgule 8 millions" mais bien "17 millions 800 mille", ou "près de 18 millions". (voir l'appendice 2 à ce sujet)

6.03 L'ÉVALUATION DE FOULES

Le principe de base lorsqu'il s'agit de rapporter une évaluation du nombre de personnes qui ont participé à une manifestation, c'est d'être prudent, d'essayer d'identifier la source d'une évaluation et de bien la présenter.

L'évaluation d'une foule est généralement gonflée par les organisateurs d'un événement où nous sommes conviés. On doit essayer de citer une évaluation d'une source policière lorsque la chose est possible. Il faut toutefois considérer que la police elle-même peut parfois avoir intérêt à gonfler ou à réduire le nombre de participants.

La même règle s'applique aux désastres ou aux accidents, surtout ceux qui surviennent à l'étranger. Les premières évaluations des victimes d'un tremblement de terre sont généralement trop élevées et il faut ensuite les réduire. Dans de tels cas, mieux vaut être prudent tant que les agences de presse ne communiquent pas des informations plus précises, confirmées par plusieurs sources.

6.04 LES NOMS PROPRES

L'information pratiquée en Occident s'incarne dans des réalités bien concrètes et est vécue par des **acteurs de l'événement** que l'on cherche à identifier. Le lecteur ou l'auditeur aura plus de facilité à s'identifier à une nouvelle associée à quelqu'un qu'il connaît et donc à se sentir concerné par cette nouvelle. D'où l'intérêt de répondre à la question QUI dans l'amorce et de mettre en valeur l'auteur d'un événement autant que la déclaration ou l'événement eux-mêmes.

Cependant, il est bon de **bannir les noms inutiles ou inconnus** lorsque leur mention n'est pas absolument nécessaire à la compréhension de la nouvelle.

(nom inutile)

Un citoyen vénézuélien, de passage aux États-Unis, Carlos Andres Carrasco, vient de gagner 12 millions de dollars à la loterie de l'État de New-York.

(élimination d'un nom inutile)

Un chômeur vénézuélien, père de huit enfants, de passage aux États-Unis, vient de gagner...

Il est beaucoup plus intéressant, du moins dans l'amorce, de décrire ce Vénézuélien comme chômeur et père de huit enfants, que de l'identifier. Cette description a une valeur suggestive qui permet à l'auditeur d'imaginer le gagnant plus facilement que par la simple évocation de son nom. Encore là, tout est question d'appréciation. Faut-il nommer un individu inconnu ou se contenter de le décrire? Chaque cas est différent. L'important est de se poser les bonnes questions et de chercher à maximiser l'impact du texte qu'on s'apprête à rédiger.

On ne doit généralement pas commencer une nouvelle avec un nom qui n'est pas familier à l'auditeur. Si la personne dont il est question n'est pas très bien connue, il est préférable d'attaquer avec son titre, avec le nom de l'organisme qu'elle représente ou avec la raison pour laquelle on parle d'elle aujourd'hui. L'auditeur pourra ensuite plus facilement s'intéresser à un nom qu'il ne connaissait pas jusque-là.

(nom peu familier au début)

Le cardinal Agostino Casaroli, secrétaire d'État à la Cité du Vatican, a annoncé que le pape Jean-Paul II...

(élimination d'un nom peu familier)

Le Vatican annonce que...

Souvent, la mention du prénom des gens dont on parle est superflue. Lorsque ces personnes sont bien connues, comme le Premier ministre du Québec ou le Premier ministre du Canada, **l'utilisation des prénoms est généralement inutile.** Mais même dans le cas de personnalités, il peut être nécessaire de donner le prénom pour assurer une bonne compréhension de la nouvelle lorsqu'il s'agit pas exemple de distinguer **Lucien Bouchard** et **Benoît Bouchard** ou encore **Pierre-Marc Johnson** et **Daniel Johnson.** Quant à **Monsieur** et **Madame** utilisés par déférence ou par politesse, ils sont de rigueur surtout au début d'une phrase. On peut souvent les supprimer par la suite. Mais l'on ne dit pas **Monsieur** ou **Madame**, il vaut mieux mentionner le prénom. Par exemple on dira **Brian Mulroney** ou **Monsieur Mulroney**, mais pas Mulroney tout court.

Nous n'en sommes pas au **MULRONEY** et au **BOURASSA** de nos collègues de langue anglaise et encore moins à l'utilisation des prénoms

seuls comme dans : "Vous savez bien **Denise** que...". Le français se prête
moins bien que l'anglais à ces usages familiers.

████████ **6.05 LES MODES ET LES TEMPS DES VERBES**

Nous avons vu au chapitre 5 sur L'AMORCE que le présent doit être
privilégié dans la mesure du possible si l'on veut créer une impression
d'immédiateté. Nous avons vu aussi qu'il est préférable d'utiliser l'actif
plutôt que le passif. Qu'en est-il maintenant de l'usage du passé? Il semble
qu'il soit souhaitable d'**éviter le passé simple**. Grevisse considère qu'il est
disparu du langage parlé. Comme notre objectif est de nous rapprocher du
langage parlé, les occasions d'utiliser le passé simple seront rares sauf peut-
être dans le cas de certains genres comme la note biographique. Il vaut
mieux en général avoir recours au passé composé qui implique une certaine
continuité par rapport au présent. Le passé simple a une dimension littéraire
qui l'éloigne du style parlé.

(passé simple à éviter)

C'est alors que les deux frères Renaud sautèrent hors du
fourgon qui les transportait au Palais de Justice.

Les deux frères Renaud ont alors sauté hors du fourgon...

**VOICI UN EXEMPLE ACCEPTABLE DE PASSÉ SIMPLE
DANS UNE NOTE BIOGRAPHIQUE :**

*Ministre de la Justice dans le cabinet Lesage, plus tard
rival de Robert Bourassa à la direction du Parti libéral
du Québec, Claude Wagner devint, en 1972, député conservateur de Saint-Hyacinthe. La direction du Parti conservateur lui échappa par quelques voix seulement en 1976
au profit de l'actuel ministre des Affaires extérieures, Monsieur Joe Clark. Il siégeait au Sénat depuis avril 1978.*

*Le passé simple est utilisé avec bonheur dans ce dernier
exemple. Cependant, on aurait pu aussi utiliser le présent
historique.*

(le présent historique)

Claude Wagner devient en 1972 député conservateur. En 1976, la direction du Parti conservateur lui échappe...

6.06 ABRÉVIATIONS ET SIGLES

Pour éviter des erreurs de lecture, il ne faut jamais utiliser d'abréviations dans un texte. Il faut écrire Monseigneur et non Mgr; boulevard et non boul.

Il faut éviter aussi les symboles comme $ ou %.

Pour ce qui est des sigles, on doit écrire le nom complet de l'organisation, sauf si elle est très bien connue comme l'ONU, la CSN, la GRC, le YMCA...

6.07 CITATIONS ET IDENTIFICATION DES SOURCES

En radio, les guillemets ne s'entendent pas. On doit utiliser avec beaucoup de circonspection, et pour ainsi dire jamais dans l'amorce, une citation directe. Contrairement à plusieurs médias privés, Radio-Canada n'a pas de position éditoriale sur les nouvelles qu'elle transmet. Nous tentons de rapporter les événements aussi impartialement et objectivement que possible. Cela rend l'identification des sources particulièrement importante dans nos journaux parlés. Nous ne devons jamais donner l'impression que c'est nous qui commentons alors que nous rapportons les paroles de quelqu'un d'autre. Nous ne devons pas non plus présenter comme un fait ce qui n'est qu'une opinion ou une hypothèse. (Comme nous l'avons vu au chapitre 5 dans le passage consacré à **l'amorce bidon**).

De même lorsqu'on parle pour la première fois d'un désastre majeur ou d'une nouvelle très importante, il faut en donner la source. Une fois la nouvelle confirmée par plus d'une source, on peut cesser de dire d'où provient l'information.

À la radio, l'attribution de la source, lorsqu'elle est nécesssaire, doit toujours précéder l'énoncé à communiquer (voir chapitre 5, L'amorce bidon).

(hypothèse présentée comme une certitude et non atribuée dès le début du texte)

Le plein emploi sera atteint au Canada en 1990. C'est ce que prévoit le ministre Untel...

(attribution de la source dès le début d'un texte)

Selon le ministre Untel, le plein emploi sera atteint au Canada en 1990.

L'auditeur doit savoir qui a parlé au moment où il entend un extrait de déclaration, qu'il s'agisse d'un extrait sonore ou d'une citation lue par l'animateur.   Sauf circonstance très exceptionnelle (et c'est le cas de l'introduction directe ou ouverture par extrait sonore, le "cold opening"), un extrait de déclaration ne peut donc pas servir d'amorce, puisque la connaissance de l'auteur de la citation est nécessaire à l'auditeur pour évaluer cette déclaration.   Dire que les élections fédérales auront lieu à l'automne n'aura pas le même sens si c'est Jean Charest qui le dit ou Brian Mulroney.

▬▬▬ 6.08 VÉRIFICATION DES SOURCES

Le travail du rédacteur et celui du reporter se complètent ; ils s'inscrivent dans une même démarche et répondent aux mêmes exigences.

C'est pourquoi le rédacteur doit s'habituer, dans la mesure du possible, à utiliser le téléphone pour vérifier certains faits, obtenir des explications, des détails, ou recueillir des commentaires.   Cet effort est particulièrement fructueux quand aucun reporter n'est disponible.   La majorité des sujets qui demandent un développement et une recherche plus poussés sont habituellement couverts par des reporters.   Cependant, selon les circonstances (heure matinale ou tardive, effectifs en excédent à la rédaction, week-end, etc.), un simple appel peut souvent permettre d'être plus précis ou d'éviter d'avoir à démentir une information.   La vérification systématique des exclusivités des journaux doit être un réflexe acquis.   Rien d'étonnant à ce qu'on cite La Presse ou Le Devoir à huit heures.   À 18 heures, c'est à peu près inadmissible, à moins qu'il s'agisse d'une exclusivité impossible à vérifier ou que le journal soit devenu un acteur de l'événement.

▬▬▬ 6.09 LES "BÉQUILLES" ET LES TRANSITIONS MALHEUREUSES

L'utilisation fréquente d'expressions comme "par ailleurs", "d'autre part", "entre-temps", "pour sa part", etc, pour lier les divers éléments d'une nouvelle constitue un piège dans lequel le journaliste pressé tombe souvent.

La plupart du temps, ces "béquilles" sont inutiles et la simple juxtaposition des différentes phrases suffit.

La même constatation doit être faite devant le recours à des tournures comme "soulignons que", "rappelons que", "on se rappellera que", "on sait que", ou encore "en fait", "en fin de compte", "finalement", "pour ainsi dire".

Ces expressions ne sont pas fautives en elles-mêmes, mais il convient de les éviter au nom de la concision (à moins qu'elles ne contribuent à la précision du texte, ce qui serait étonnant) et parce qu'elles risquent de se multiplier indûment à l'intérieur d'un même journal parlé.

Revenons à l'actualité, à ces pourparlers pour le désarmement qui se déroulent à Genève.
L'URSS a officiellement présenté sa nouvelle proposition visant à débarrasser le territoire européen des missiles nucléaires à portée intermédiaire...

L'URSS propose le retrait du territoire européen des missiles nucléaires à portée intermédiaire. Cette nouvelle offre a été faite au cours des pourparlers sur le désarmement qui se déroulent à Genève.

Comme il s'agit d'un bulletin de nouvelles, comment avons-nous pu nous éloigner de l'actualité? "Revenons à l'actualité" est non seulement une transition malheureuse mais aussi une expression erronée. Si la nouvelle précédente était vraiment loin de l'actualité, l'auteur de ce choix s'est trompé puisqu'un journal parlé, par définition, traite de l'actualité. La version corrigée permet d'utiliser le présent comme temps du verbe de la première phrase du texte.

6.10 LA RÉÉCRITURE

Une partie importante du travail du rédacteur consiste à réécrire les textes des agences, des reporters ou même ses propres textes lorsqu'il veut les rafraîchir.

Même si le public radiophonique se renouvelle d'heure en heure et même de quart d'heure en quart d'heure, certains auditeurs nous reviennent dans la journée après quelques heures d'infidélité. Rien n'est alors plus déprimant pour eux que d'entendre la répétition exacte de ce qu'ils ont entendu plus tôt. La station qui leur offre de telles répétitions se prive d'un de ses avantages concurrentiels puisque, comme le journal, elle donne l'impression de diffuser de "vieilles nouvelles".

La règle devrait être de ne jamais utiliser un même texte plus de deux fois et surtout pas dans deux bulletins consécutifs. On devrait aussi respecter cet autre précepte : ne jamais ouvrir un   bulletin avec un texte déjà diffusé.

Les événements n'évoluent pas toujours de façon significative d'une heure à l'autre. S'il n'y a pas vaiment d'éléments neufs, il faut quand même réécrire la nouvelle pour éviter la monotonie de la répétition d'un même texte mais sans jamais en trahir ou en diluer le sens. Il y a plusieurs façons de dire une même chose. Seuls l'effort et le travail peuvent permettre d'y arriver.

CHAPITRE 7

LA PRÉSENTATION DE LA COPIE ET DU REPORTAGE

7 - LA PRÉSENTATION DE LA COPIE ET DU REPORTAGE

Pour éviter les erreurs et la confusion, il est bon de s'entendre sur certaines règles ou conventions relatives à la présentation de la copie et du reportage.

LA PRÉSENTATION DE LA COPIE

Il faut d'abord noter que l'implantation progressive de l'informatique changera beaucoup de choses, de sorte que la copie prendra une allure radicalement différente de ce à quoi nous sommes habitués. Cependant, les conventions suivantes devraient demeurer, même après l'arrivée de l'informatique.

7.01 LES MARGES

On doit laisser une marge de 5 centimètres au haut de la feuille pour permettre que le bulletin soit agrafé après diffusion. La marge de gauche est de 4 centimètres environ et celle de droite de 5 centimètres. Le texte est tapé **à double interligne.**

NOTE

Nous devons, de nos jours, rejeter tout système de mesure autre que le système international d'unités. La température se mesure maintenant en degrés Celsius seulement. On peut cependant faire la conversion si la nouvelle provient des États-Unis et parler de milles et de degrés Fahrenheit.

7.02 NOMBRE DE LIGNES ET SIGNATURE

Le nombre de **lignes** apparaît en bas à gauche, sous la signature **complète** du journaliste. Cette signature doit être dactylographiée pour s'assurer qu'elle sera lisible.

7.03 L'HEURE DE RÉDACTION

L'heure qui apparaît sous la date en haut à gauche est **l'heure exacte** de **rédaction** de la nouvelle.

7.04 EMBARGO

S'il y a **embargo** sur la diffusion de la nouvelle, on l'indique sous l'heure de rédaction, en majuscules, **(EMBARGO)** et on précise l'heure de diffusion convenue **(14h).**

7.05 LES SOURCES

Il est important de mentionner **toutes** les sources qui ont servi à la rédaction de la nouvelle. Pour les dépêches d'agences, on marque le numéro de la dépêche ainsi que son **heure de parution**; pour les journaux, on précise la **page**; pour les présentations de reportages, le nom du journaliste suffit.

7.06 LE PANIER DES SOURCES

Chaque rédacteur a la responsabilité de rapporter sur le bureau du secrétaire de rédaction les sources dont il s'est servi durant son poste de travail. Ces sources sont placées dans le panier des sources.

7.07 LE DÉBUT ET LA FIN DES REPORTAGES OU DES EXTRAITS

Quand la nouvelle comprend un reportage ou un extrait de déclaration, on indique clairement le nom du journaliste, la durée totale du reportage, avec mention de l'extrait sonore qu'il pourrait contenir et sa durée. On indique les premiers mots du reportage, de façon qu'on puisse constater aussitôt à la diffusion s'il y a erreur d'aiguillage. On précise comment se termine la cartouche.

7.08 LA COUPURE DES MOTS

Il ne faut jamais couper un mot à la fin d'une ligne. Les traits d'union sont donc interdits puisqu'ils rendent la lecture du texte plus ardue.

7.09 LA NOUVELLE DE PLUS D'UNE PAGE

Si plus d'une page est nécessaire, il faut toujours finir la première par une **phrase complète**. Ne jamais couper une phrase en deux, ou pis encore, un mot en deux, pour poursuivre sur la page suivante, ce qui risquerait de faire trébucher le lecteur. Dans le même ordre d'idées, il s'impose d'indiquer clairement dans le bas d'une page que la nouvelle se poursuit (par un symbole comme une flèche pointée vers la droite), pour éviter que le lecteur ne change de ton en changeant de feuille.

LA PRÉSENTATION DE LA COPIE

▰▰▰▰▰ 7.10 LA NOUVELLE ESSENTIELLE

Dans le cas de la nouvelle essentielle ("hard news"), le texte de présentation doit contenir l'essentiel de la nouvelle. Puis le reporter enchaîne avec l'explication, la mise en contexte, les détails.

▰▰▰▰▰ 7.11 LE NOM DU REPORTER

Pour varier le style des présentations, on peut omettre le nom du reporter dans la présentation, pour autant qu'il s'identifie à la fin. Dans ce cas, l'idée du texte s'enchaînera tout naturellement avec celle de la première phrase du topo. Cette façon de faire a l'avantage d'estomper quelque peu l'aspect "maître de cérémonie" du lecteur et de le consacrer dans son rôle d'informateur.

▰▰▰▰▰ 7.12 EXTRAITS SONORES ET SIGNATURE

Il arrive parfois que le reporter choisisse d'amorcer son topo avec un extrait de déclaration particulièrement percutant. Dans ce cas, il faut éviter d'identifier le journaliste à la fin du texte de présentation. L'auditeur ne risquera pas d'être étonné d'entendre Brian Mulroney alors qu'on avait annoncé Roger Laporte.

La même règle s'applique à l'inverse dans le cas d'un reportage qui se termine par un extrait. Il faut alors se réserver une conclusion ou tout simplement ne pas signer son topo afin d'éviter que l'auditeur ne croit que celui qui vient de parler est Roger Laporte alors que c'était Brian Mulroney.

La question plus vaste de l'insertion des extraits de témoignages dans les topos et de celle du son qui les accompagne devrait être traitée plus longuement dans un guide consacré au reportage.

▰▰▰▰▰ 7.13 CLICHÉS ET REDONDANCES

Il faut aussi éviter d'identifier le reporter en ayant recours à des formules du type "Monsieur X a répondu à Jos Bleau" (à moins que l'extrait sonore ne contienne une question du journaliste) ou encore "Monsieur X a confié à nos micros...". Ces formules sont des clichés qui alourdissent le texte.

Le texte de présentation ne doit jamais être trop long et surtout il ne doit jamais être une répétition mot à mot ou paraphrasée des premiers mots du reportage. Cela fait amateur et fait perdre un précieux temps d'antenne. Si l'on n'a pas le choix et qu'on juge que la première phrase du topo doit se retrouver dans le texte de présentation, il faut obligatoirement faire un montage pour l'enlever du reportage. Les mêmes préceptes s'appliquent dans le cas de déclarations incorporées dans le topo : rien de pis qu'un extrait qui reprend ce que le reporter vient de dire, surtout si le lecteur le disait déjà! Un peu d'ingéniosité permet d'insérer un extrait sonore dans un reportage sans qu'il y ait de répétition inutile.

7.14 LES SUGGESTIONS DU REPORTER

Le reporter doit **toujours** suggérer un texte de présentation pour chapeauter son reportage. Ce texte ne sera pas nécessairement repris intégralement, en particulier parce que le secrétaire de rédaction a une vue d'ensemble de son bulletin qui l'amènera à modifier certains détails au profit d'une cohésion plus grande ou encore à actualiser la présentation pour tenir compte des derniers développements de l'actualité.

Le texte suggéré par le reporter contribuera, entre autres, à réduire les risques de redondances ou d'erreurs dans l'identification des personnes dont on parle.

CONCLUSION

CONCLUSION ▬▬▬▬▬▬▬▬▬▬▬▬▬▬▬

Ce guide doit être reçu comme un outil de travail, de réflexion et de perfectionnement. Même si les règles qui y sont évoquées ont été mises à l'épreuve ici et ailleurs, il ne faut pas les considérer comme la vérité révélée. Ce sont plutôt des points de repère à partir desquels les débats peuvent s'engager et au sujet desquels le journaliste aura toujours le dernier mot. Puisque finalement c'est son expérience, son talent et son bon sens qui prévaudront.

De plus, il est évident que ce guide est incomplet. D'abord, pour ce qui est de son objet même : il doit et sera sûrement complété et amélioré puisqu'il s'alimentera, au fil des ans, des commentaires et des pratiques de ceux qui exercent le métier quotidiennement. Mais aussi parce que plusieurs thèmes d'intérêt pour le journaliste n'ont pas été développés; ne serait-ce que celui de l'interview journalistique à la radio et à la télévision et de ses techniques ou encore celui du reportage dont les exigences débordent largement les strictes contraintes de la rédaction.

De plus, même si ce **Guide de rédaction** a été conçu pour répondre aux besoins de la radio, bon nombre de journalistes de la télé et même de la presse écrite auront intérêt à le consulter en y apportant évidemment les adaptations qui s'imposent.

APPENDICE

APPENDICE

1. LES NIVEAUX DE LANGAGE ET L'INFORMATION PARLÉE.

PAR CAMIL CHOUINARD
CONSEILLER LINGUISTIQUE

Parmi les difficultés linguistiques qu'affrontent nos communicateurs de l'information, il en est une dont on parle peu mais qui est pourtant capitale : celle de se maintenir dans un niveau de langage convenable. Chaque journaliste, chaque animateur, sait qu'il y a dans notre langue, comme dans toute langue d'ailleurs, des termes qui sont de circonstance et d'autres qui ne le sont pas. Le défaut, c'est que plusieurs connaissent mal les frontières des mots. Ainsi, un reporter, sans doute de peu d'expérience, et désireux sûrement de se faire comprendre clairement, a dit dans un reportage télévisé portant sur la pollution du Saint-Laurent : "Tout le monde fout n'importe quoi à la flotte, c'est dégueulasse". Ceux qui ont contribué à la formation de ce journaliste, et aussi ses supérieurs, ont omis de lui indiquer qu'il est impérieux, lorsqu'on s'adresse au public, de s'en tenir aux termes du langage relevé, c'est-à-dire du langage correct, châtié, et d'éviter les mots, les expressions populaires, familières, et à plus forte raison, vulgaires. Or, le verbe "foutre" appartient à la langue populaire. Un ministre qui parlerait de "foutre une taxe" sur un certain produit aurait l'air indigne. S'il disait qu'il écourte son discours à cause de la "flotte", il s'afficherait médiocre orateur. Enfin, s'il qualifiait son adversaire de "dégueulasse", il y laisserait ses dernières plumes.

Lors de la visite papale au Canada, quelqu'un a dit à la télévision : "Le Pape est allé bouffer avec le Gouverneur général". Entre amis, on peut se dire qu'on a bien bouffé, c'est du langage familier mais convenable. Cependant le verbe bouffer employé à propos de deux dignitaires, dans un reportage diffusé au réseau français, n'a pas manqué de faire un petit scandale.

En général, les journalistes évitent soigneusement les mots de la langue jouale. Jamais, on ne les entendrait dire en ondes ou écrire dans leur journal : "J'me chu t'acheté un char". Le joual, en fait, n'ose pas hennir dans nos informations. C'est plutôt le mauvais langage importé de France, entendu par exemple au cinéma, qui constitue une tentation pour nos communicateurs insouciants des niveaux de langage. On entend des comédiens français utiliser dans des scènes au langage familier, vulgaire parfois, des mots comme dégueuler, connerie, chiant, etc., et on croit qu'on peut les reprendre en s'adressant au public. Les Français utilisent ces termes dans des circonstances bien particulières. Et encore, la majorité d'entre eux les rejettent complètement.

Dans un récent reportage, un correspondant relatait que la femme d'un ministre avait enfin "craché le morceau" au cours d'une enquête sur la conduite de son mari. Le reporter aurait été aussi clair en disant que la dame était passée aux aveux ou qu'elle s'était mise à table. Ces dernières expressions n'auraient pas manqué d'élégance. L'expression "Lâcher le morceau" a le même sens que "Cracher le morceau". Elle aurait permis au reporter d'éviter le verbe cracher en parlant d'une personne qui témoignait.

Parfois, un mot a un sens dans le langage relevé et il en a un autre dans le langage populaire. Il importe alors de ne pas utiliser ce terme indistinctement dans les deux niveaux de langage. Ainsi, un reporter a parlé du lancement du "bouquin" de René Lévesque. Sans le vouloir, il affirmait que René Lévesque venait de lancer un livre usagé. En effet dans le langage normal de l'information, le langage relevé, un bouquin est un vieux livre. Les bouquinistes des bords de la Seine vendent des livres d'occasion. Dans le langage familier, cependant, le mot bouquin prend le sens de livre tout simplement. On peut dire : j'ai acheté ce bouquin à telle librairie.

De même le mot bagnole a un sens différent selon le niveau de langage. D'après le Robert, le terme désigne une mauvaise voiture en langage familier, mais en langage populaire il veut dire une automobile, tout simplement. En information, on s'en tiendra donc aux mots VOITURE, AUTO, AUTOMOBILE.

Le pronom ON est typique parmi les termes qui changent de sens avec le niveau de langage. Selon le Robert, ON relève du langage familier lorsqu'il est employé au sens du NOUS. Ce dictionnaire en donne l'exemple suivant : "L'enfant prit la main de sa mère. On s'en va, viens". Dans le langage relevé, le pronom ON ne peut avoir le sens de NOUS. Il est par conséquent fautif de la part d'un animateur à la radio ou à la télévision de dire : "On va maintenant à Québec pour une interview avec Untel". En pareil cas, il est évident que l'animateur veut dire NOUS puisqu'il s'inclut lui-même dans ce déplacement électronique vers Québec.

Par contre, l'animateur dira correctement : On tente présentement à Québec d'atteindre le premier ministre pour l'interviewer. Dans ce dernier cas, le sens de ON est le suivant : une ou des personnes à Québec, et l'animateur ne participe pas à cette tentative d'atteindre le premier ministre.

De même, un animateur dira en ondes : Nous allons maintenant faire une pause, puisqu'il participe à cette pause.

S'il disait : On va faire une pause, cela signifierait que quelqu'un, quelque part, va faire une pause. Il est fautif, dans le langage officiel, d'employer ON au sens de NOUS. Après l'émission, l'animateur pourra revenir au langage familier et dire à ses compagnons de travail : Alors, on va prendre un café?

Le tutoiement, les contractions de termes, sont également incompatibles avec le langage correct de l'information. Un intervieweur ne peut se permettre de poser une question du genre : Es-tu prof de math toi aussi? Il ne peut affirmer: Y'a quec'chose d'intéressant là-bas! pas plus que : Y vont prendre le bus.

Arrêtons-nous en terminant sur le pronom démonstratif ÇA qui signifie ceci ou cela (selon le Robert) et cette chose-là (selon le Larousse). Courant dans les niveaux de langage populaire et familier, le ÇA est parfois employé abusivement en information parlée. Voyons quelques exemples entendus à Radio-Canada. À propos d'un village de l'Estrie, un animateur a dit : Ça , c'est près de Sherbrooke. Pire encore, une animatrice dont le langage était plein de "ça" à tout propos, est allée jusqu'à dire (à son grand regret par la suite) : Ça, c'est Madame Unetelle.

Il est cependant correct de dire, même en langage relevé et diffusé publiquement : À part ÇA, tout va très bien!

N.B. Lorsque l'on a un doute sur le niveau de langage auquel appartient un mot, il suffit de consulter un dictionnaire. Le Robert, par exemple, indique par une abréviation qu'un terme est populaire (pop), familier (fam.) , ou vul-gaire (vulg.)

Avril 1987

2. L'INTRUSION DU LANGAGE ÉCRIT DANS LE LANGAGE PARLÉ

PAR CAMIL CHOUINARD
CONSEILLER LINGUISTIQUE

Même si nous n'en sommes pas tellement conscients, le langage écrit, celui des livres, des journaux, des lettres, diffère notablement du langage parlé, celui des conversations, des discours, de l'information à la radio ou à la télévision. Généralement, toute personne qui parle tient compte,inconsciemment, de ces différences et n'emprunte pas au style écrit ses particularités. Cependant, de pareils emprunts sont faits tous les jours, surtout à la radio et à la télé et il semble qu'on doive les attribuer aux efforts que font les communicateurs pour soigner leur langage.

Il y a quelques années seulement, une nouvelle sur trois dans les bulletins d'information de Radio-Canada commençait par une phrase qui était, en fait, un titre de journal. On entendait par exemple : "Reprise des hostilités au Proche-Orient". "Carambolage sur l'autoroute des Cantons de l'Est". "Démission du ministre des finances". Par bonheur, ces emprunts directs au journal ont à peu près cessé, mais il reste de nombreuses influences de l'écrit dans l'information parlée.

Ainsi, l'autre jour, on entendait aux nouvelles de la radio la phrase suivante : "On y consacre huit virgule cinq pour cent de nos revenus". Le reporter donnait l'impression de lire dans le journal; il aurait plutôt dit dans une conversation : "On y consacre huit et demi pour cent de nos revenus". En effet, on ne mentionne pas la virgule, habituellement, dans le langage parlé. On dit "et demi" plutôt que "virgule cinq".

Il faut reconnaître cependant qu'on est souvent forcé de faire mention de la virgule en parlant. Par exemple, s'il faut être précis, on dira : huit virgule 754 pour cent. Mais si la précision n'est pas indispensable, on dira plutôt : huit et trois quarts pour cent.

Voici un autre exemple du même genre d'emprunt fautif au langage écrit : "Le gouvernement fournira dix virgule cinq millions à la nouvelle entreprise", au lieu de : "Le gouvernement fournira dix millions et demi à la nouvelle entreprise."

Presque exclusifs à l'information de la radio et de la télévision, ces emprunts malencontreux sapent le naturel du locuteur. En effet, dans la conversation, on trouverait étrange que quelqu'un nous dise : "Tu me dois douze virgule 75 dollars." On serait forcé de deviner que notre interlocuteur, atteint du complexe de Gutenberg, veut plutôt dire : "Tu me dois douze dollars 75." Pourtant on écrit tout naturellement 12,75$ et quelle tristesse d'entendre parfois parler en ondes du dollar U.S. lorsqu'il s'agit du dollar américain. La presse écrite peut s'accommoder d'une pareille abréviation. Dans la bouche d'un communicateur, c'est pour le moins insolite.

Dans les livres de cuisine on peut lire : 2 1/2 tasses de sucre. En conversation on fera tout naturellement l'adaptation en langage parlé : deux tasses et demie de sucre, c'est-à-dire qu'on placera le nom entre le nombre et la fraction. Cette adaptation est nécessaire lorsque l'on parle à la radio ou à la télévision.

Récemment, un animateur disait : "Les nombreux témoignages entendus suite à la mort de René Lévesque...". Il aurait du dire : "...entendus à la suite de la mort de...". En effet, l'expression **suite à** appartient exclusivement au style des lettres commerciales. Exemple : Suite à votre requête du 17 novembre nous devons vous annoncer que... Il existe d'autres locutions qui s'emploient normalement dans le style écrit et qui conviennent très mal au style parlé, par exemple : ce dernier, ces dernières ; celui-ci, celui-là, ceux-ci, ceux-là, etc. Dans le langage écrit, il est tout à fait correct de commencer une phrase de la façon suivante : Ces derniers ont affirmé que... Cela signifie les dernières personnes dont on a parlé dans le texte. Dans le langage parlé, on remplace "ces derniers" par des termes plus précis. On dit par exemple : Les syndiqués, les députés, les détenus ont affirmé que... À moins qu'il suffise pour être clair d'employer un pronom : Ils ont affirmé que...

Quant au passé défini qui s'employait autrefois couramment dans le langage parlé, il n'est utilisé en français moderne que dans le langage écrit. Un écrivain moderne peut très bien écrire : Nous partîmes au lever du jour. Dans une conversation, une interview, il emploiera tout naturellement le passé composé : Nous sommes partis au lever du jour. C'est pourquoi un communicateur qui utilise le passé simple paraît pédant. Quand la chose se produit, elle s'explique généralement par le fait que la personne fait lecture d'un texte qui a été écrit par un rédacteur qui n'a pas tenu compte du fait que ce texte était destiné à l'usage parlé. Le passé simple est normalement absent du langage d'un communicateur qui improvise ou qui a écrit son propre texte.

Enfin, la phrase longue est également l'apanage du langage écrit. On n'emploie presque jamais de longues phrases en parlant. C'est pourquoi un texte communiqué à la radio ou à la télé manque de naturel s'il est fait de phrases interminables. Les phrases paragraphes doivent être laissées à certains écrivains, certains journalistes de l'écrit, qui les affectionnent.

Dans la conversation, la communication verbale en général, la phrase est plutôt courte. Si l'on veut adapter à un média électronique un texte de journal ou de livre fait de longues phrases plus ou moins littéraires, il faudra absolument les subdiviser.

Toutes ces différences entre le style écrit et le style parlé nous font comprendre pourquoi certains journalistes formés dans les journaux éprouvent tant de mal à passer au journalisme parlé. La transition en sens inverse est beaucoup plus aisée.

Le 4 janvier 1988

▨▨▨▨▨▨ 3. SA MAJESTÉ L'OREILLE

PAR GUY LAMARCHE

Les journalistes communicateurs par la parole n'ont pour principal outil que le verbe. Ils peuvent expliquer ou questionner, plaire ou combattre. De façon quotidienne, ils s'emploient à livrer la presse orale à domicile ou à l'auto. Une presse variée faite de nouvelles, d'interviews, de commentaires sur toute matière d'intérêt public. Bien !

Mais encore faut-il voir (ou plutôt entendre) s'il s'agit d'une alimentation non seulement équilibrée mais agréable et facile à digérer. Je me pose sérieusement la question depuis que j'écoute tout cela d'une oreille critique.

Toute oreille a des lois qui commandent le respect. Elle exige qu'on s'adresse à elle quand on prétend lui parler. L'audition n'est pas le produit mais l'origine de la parole. L'oreille doit être traitée comme l'ancêtre. On ne doit surtout pas lui faire ce que l'on ne veut pas que les autres nous fassent.

Une personne dont c'est le métier de faire comprendre l'environnement social par le véhicule de la parole n'a pas le droit de jouer les cordonniers mal chaussés et d'ignorer les plus récentes recherches sur l'oreille. Ce que cet organe fait pour l'être humain est une merveille.

Les mécanismes de la perception et les lois à respecter pour faciliter la communication vers une oreille qui écoute ont été particulièrement décortiqués par les chercheurs qui voulaient reproduire par ordinateur les sons naturels d'une parole écoutable et compréhensible. Ils ont en quelques années ajouté considérablement à ce qu'on savait déjà.

L'oeil est froid, l'oreille est chaude. Jamais la machine ne reproduira la personne, une personne, cette personne-là que nous sommes. Comment se fait-il qu'on se mette parfois à sonner comme une machine quand on parle? À moins que le monde ne s'achemine vers un univers de la parole où il ne sera plus requis de distinguer les personnes des robots.

Peut-il y avoir tel monstre qu'un ton institutionnel radio-canadien qui justifie qu'on chantonne au lieu de parler? Qui autorise l'élimination des intonations naturelles? L'abus des accents d'insistance? Qui permet d'aller beaucoup trop vite? Qui distille l'ennui du locuteur anonyme et uniforme qui s'adresserait à un auditoire tout aussi anonyme? Et la limpidité? Et la compréhension? Et tous ces précieux silences sacrifiés sur l'autel du temps!

L'oreille sait reconnaître une langue de bois au service d'une structure de bois. Parce qu'elle a appris à contrôler la parole comme si c'était tout naturel (on appelle ça une seconde nature), elle est compétente à décider si on s'adresse à elle ou à la lune. Le cerveau qui écoute, c'est toute la personne. Elle veut comprendre et s'émouvoir à mesure. L'oreille s'abreuve à une source. Pourquoi lui servir les squelettes séchés d'un écrit forcément dépourvu de ses beautés littéraires?

Jouisseuse mais jalouse qu'on respecte ses lois à elle, l'oreille ne fait guère de concessions. Quand le verbe ne l'atteint plus, elle se ferme sans prévenir, sans que personne ne le sache. Le plus souvent, on s'aperçoit soudain que l'on n'écoutait plus. Même l'oreille ne s'était pas rendu compte qu'elle prenait congé.

L'oreille, je l'entends parfois qui se rebiffe et proteste : "Si vos histoires sont si importantes et si intéressantes, parlez-moi quand vous le racontez. Pourquoi ai-je si souvent l'impression que vous les ronronnez pour quelqu'un d'autre?"

Mais c'est bien connu qu'il n'y a pas plus sourd que celui qui ne veut pas entendre. Quel défi que de réapprendre d'abord à s'écouter vraiment pour consentir ensuite à s'exercer à satisfaire Sa Majesté l'Oreille.

Octobre 1988

4. LA COMMUNICATION VERBALE : QUELQUES ASPECTS (EXTRAIT)

PAR RAYMOND LAPLANTE
ANNONCEUR-CONSEIL

LA COMMUNICATION VERBALE

Georges Gusdorf, philosophe de la communication, a écrit : "Pour que je prenne la parole, il faut nécessairement qu'elle m'ait été donnée par autrui." À partir de cet énoncé, on peut se demander comment le communicateur des médias électroniques peut recevoir d'autrui la parole qu'il prend, chaque fois qu'il se produit à la radio ou à la télé pour livrer son message d'information. Le seul fait d'appuyer sur le bouton du microphone ou de commencer à parler au signal du régisseur de studio n'est pas une assurance totale que l'auditeur ou le téléspectateur vont lui accorder ce droit de parole ou tout au moins qu'ils seront bien disposés à l'entendre, à l'écouter et finalement à le comprendre.

SE FAIRE ENTENDRE

C'est en quelque sorte demander à autrui de nous prêter une oreille attentive. C'est notre entrée en matière, notre façon de capter l'attention, que ce soit à la radio par le ton, la manière, le style, l'attaque expressive, la qualité de la voix. À la télé, viendra s'ajouter la dimension communication non verbale, c'est-à-dire : la présence, la personnalité, l'image que l'on projette, l'apparence physique, etc. C'est dans les deux cas le premier contact qui souvent fera que la communication s'établira ou ne passera pas.

Tous les obstacles à la prise de la parole que nous demandons à autrui ne viennent pas nécessairement du communicateur. Souvent les gens écoutent et regardent distraitement, à travers le bruit, la présence des autres, les préoccupations, le manque d'ouverture d'esprit, etc.

Cependant, il est des empêchements à la communication qui viennent de nous, de notre personne, de notre façon de dire, de faire passer un texte ou un message improvisé. En chacun de nous, il y a des valeurs positives et négatives de communication et il nous est possible de développer les premières et d'atténuer les secondes.

Autrement dit, nul n'est jamais parfait communicateur, mais nous avons tous un potentiel de communication en chacun de nous et il importe de le faire valoir et de l'utiliser à bon escient, ne serait-ce que pour mettre le plus grand nombre de chances possibles de notre côté.

SE FAIRE ÉCOUTER

Si se faire entendre c'est l'entrée en matière de la communication, se faire écouter en est la deuxième étape. Il ne suffit pas de capter l'attention et de compter qu'on la gardera nécessairement une fois pour toutes. Se faire écouter c'est savoir garder l'attention de l'auditeur ou du téléspectateur et c'est aussi savoir la reprendre au besoin.

C'est à tout le moins ne pas lasser le récepteur et laisser tomber son intérêt à cause d'un message sans couleur, un débit monotone, sans arêtes, sans ruptures mélodiques, sans accentuation d'insistance lorsqu'elles s'imposent.

À la caméra, c'est présenter une image qui ne distrait pas l'attention par une tenue vestimentaire de mauvais goût, des couleurs bigarrées, c'est offrir un visage ouvert aux autres et un regard vivant, autant de facteurs qui portent le message vers le récepteur et en facilitent l'ÉCOUTE.

SE FAIRE COMPRENDRE

C'est la troisième étape de la communication, la complémentaire des deux premières, car elles se tiennent évidemment entre elles. Le bon communicateur est souvent un excellent vulgarisateur qui sait rendre simples les choses parfois compliquées.

Il doit à la fois posséder le sens de l'analyse et de la synthèse, connaître son sujet et savoir extraire l'essentiel d'un problème ou d'une situation pour la formuler dans un langage efficace, bien énoncé et facile à retenir, car la rétention de certains éléments du message parlé est essentielle à la compréhension de ce qui viendra plus tard. Doù la nécessité de la redondance et du retour à certains points de repère verbaux qui assurent une intelligence progressive du message.

Si à la parole on joint l'image, comme c'est parfois le cas à la télé, les éléments visuels s'ajoutent à l'information verbale. La parole agit tantôt en contrepoint de l'image, tantôt la souligne, ou encore elle s'efface parce que le visuel est plus fort que tout ce qu'on pourrait en dire pour l'expliquer.

LE BON COMMUNICATEUR VALORISE L'INTELLIGENCE DE CEUX QUI L'ÉCOUTENT

On ne se sent guère empressé à écouter un message que l'on ne comprend pas intellectuellement ou auditivement. Le même message dit par deux communicateurs différents, dans un cas peut nous apparaître très clair parce qu'il fait appel à notre intelligence qu'il tient en éveil; dans l'autre cas, si les principales qualités démarcatives que nous venons d'énumérer sont absentes chez le locuteur, le message restera confus et nous nous sentirons moins intelligents au décodage.

On nous demanderait à quel moment nous avons décroché de l'écoute que nous serions bien en peine de le fixer, parce qu'en somme le décrochage s'est produit progressivement et presque inconsciemment.

Cela tend à prouver que dans le message parlé plus que dans tout autre genre, le fond et la forme se confondent au point qu'il n'est pas facile d'en déterminer les frontières. Celui qui a des choses intéressantes à dire et qui les baragouine dessert son message et celui qui parle pour ne rien dire, aurait-il la plus belle voix du monde et la diction la plus parfaite, nous lassera bien vite.

LES OBSTACLES À LA COMMUNICATION

Cela illustre aussi les difficultés de la communication verbale et à plus forte raison de la communication par les médias électroniques, à la radio sans l'image et à la télé avec une image qui ne rend pas toujours ce qu'elle est censée vouloir dire.

Il faut donc accepter au départ que la communication verbale a des limites et le défi constant du communicateur est de les repousser. Comme l'a écrit Plotin : "Le besoin de parler est la sanction d'une déchéance qui a privé la créature de sa perfection originaire. Il s'éteindra une fois cette perfection retrouvée dans un monde meilleur."

La communication électronique serait-elle illusoire, puisqu'en fait notre interlocuteur est invisible et ne peut nous répondre. Comment engager le dialogue sans rompre ce monologue d'une manière quelconque?

Qui est notre auditeur? Y a-t-il un téléspectateur moyen auquel nous pourrions nous identifier? S'agit-il d'un intellectuel pur ou politisé, d'un syndicaliste contestataire, d'un bourgeois obtus, d'un automobiliste coincé dans un bouchon de circulation aux heures de pointe?

Et puis il y a la machine technique, le micro, la caméra, l'éclairage, le temps qui fuit inexorablement et qui rapproche de l'heure de tombée. Autant d'obstacles qui taxent notre système nerveux et qui s'ajoutent à la fatigue et aux problèmes personnels qu'on ne parvient pas toujours à laisser chez soi.

LES OBSTACLES PERSONNELS

Si le désir de communiquer ne suffit pas toujours pour y réussir, il est quand même à la base de notre motivation. Il y a peu de place dans ce domaine pour les êtres fermés, repliés sur eux-mêmes et incapables de franchir la barrière de la projection personnelle. Au départ, il faut s'accepter soi-même avant de pouvoir accepter les autres, et il faut se voir comme les autres nous voient. Dans la mesure où nous pouvons corriger chez nous ce qu'il y a d'irrecevable pour les autres, nous pourrons augmenter notre sens de la communication.

Le 22 avril 1982

RÉFLEXION : LA LANGUE ET LE PHÉNOMÈNE DE LA COMMUNICATION

PAR GILLES LEFEBVRE,
ETHNO-LINGUISTIQUE
UNIVERSITÉ DE MONTRÉAL

1. INTRODUCTION

Même si la plupart d'entre nous sommes portés à croire qu'il convient de considérer l'acte de communiquer, c'est-à-dire de véhiculer, de faire passer d'une **source** (ou point de départ) à une **cible** (ou point d'arrivée) une certaine quantité ou qualité d'information, comme un événement banal - somme toute assez simple - de la vie quotidienne des humains, force nous est de déchanter, car nous avons affaire au comportement culturel le plus complexe qui soit et qui, tout en maintenant la cohésion du groupe social, engendre et nourrit l'équilibre mental des individus qui le composent.

En effet, selon une perspective culturelle - notamment celle du proces-sus de l'échange et de l'expressivité comme êtres pensants et réagissant simultanément face à l'Univers -, la communication met en jeu toute une série de **facteurs** ou de paramètres, intimement reliés les uns aux autres, et dont le bon fonctionnement sera le garant du succès (le plus souvent relatif, comme nous le verrons plus loin) de l'opération informative et didactique à la fois.

Avant de décrire, sur la base d'un schéma de la communication s'inspirant de la pensée du grand linguiste Roman Jakobson*, les facteurs ou les paramètres en question, il faut distinguer - d'emblée - parmi les grands **types** de communication (fondés, soit sur la nature des acteurs, la matière mise en oeuvre, ou les modalités de transmission) celui qui nous intéresse ici : **l'oral entre humains**, c'est-à-dire le médium linguistique à l'état primaire, et dont nous parlerons, plus loin, des grandes fonctions.

Nous distinguons donc, avant d'arriver au but de notre propos, les types suivants de transmission et de partage de l'information chez les êtres doués de conscience ou ayant un contact réfléchi avec le réel ambiant :
   A. la communication entre les **non-humains**. Il s'agit, dans le cas présent, d'un problème trop éloigné de notre propos pour qu'on s'y attarde.
   B. la communication **entre les êtres humains** : au contraire de ce qui se passe pour les non-humains (de la catégorie communément dénommée "animaux", comme, par exemple, les primates supérieurs, etc.) , c'est bien ici que se joue le **drame**, au sens grec d'action organisée, visant à influ-encer de manière réciproque.

*Jacobson, R. , Essais de linguistique générale, Éditions de minuit, Paris 1963

Dans la rubrique B., nous incluons : a) la communication non verbale; b) la communication verbale (ou linguistique). Dans la section b), nous séparons deux aspects ou modalités - plus ou moins reliés l'un à l'autre selon les genres littéraires, les styles, ou même les nécessités d'usage. Ce sont : i) l'aspect **écrit** ; ii) l'aspect **oral**. Notons, en passant, que le texte "écrit" pour l'usage radiophonique devra fonctionner comme un sous-genre de l'oralité.

Quant à la question, passionnante à bien des égards, de la communication entre les humains et les "animaux" - ce qui pourrait être un type C - nous devrons l'écarter comme un cas non pertinent dans la présente discussion. En fin de compte, notre réflexion devra porter sur un seul type de communication : celui de l'oralité, linguistique, structurée.

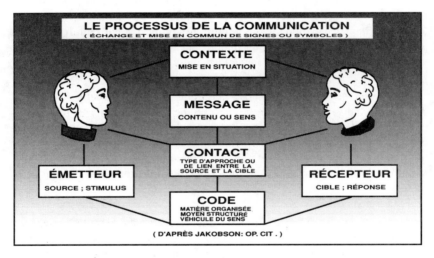

2. LES FACTEURS OU PARAMÈTRES DE LA COMMUNICATION LINGUISTIQUE

A. La **source** de l'information, ou l'**émetteur** : arrêtons-nous un moment sur la responsabilité du rédacteur ou journaliste dont émanera le "texte", devant être lu, en quelque sorte récité, à propos d'un événement, une nouvelle, et visant un public invisible, mais qui écoute. Que d'écueils à éviter lorsqu'il s'agit de "parler" d'une certaine vérité - laquelle est une réalité perçue sous un certain angle - sans la déformer, l'interpréter, ou la dénaturer.

La modalité de transmission orale est très fragile, car elle risque de véhiculer - par l'intonation, les signaux vocaux involontaires, le débit saccadé, etc. - les émotions, les parti-pris, les opinions cachées de l'émetteur quant à l'événement, la nouvelle, ou quelque autre information tributaire d'une voix sans visage.

orale fragile

C'est pourquoi - connaissant les principaux caractères ainsi que les écueils provenant de l'oralité -, le "parleur", l'annonceur radiophonique doit constamment viser à l'objectivité, laquelle sera toujours pour lui un idéal, mais en quelque sorte inaccessible, car la neutralité (qui en constitue l'élément essentiel) n'existe pas, tant pour le texte "écrit" que pour la modalité de sa transmission (ou émission) parlée.

Il ne faudrait pas oublier, ici, que l'émetteur, étant un humain soumis aux contraintes et aux influences (formatrices et déformantes à la fois) de sa culture et de son aventure personnelle, représente déjà un certain danger - même involontaire - de "désinformation".

B. Le **récepteur** ou **cible** : il s'agit, dans le cas présent, d'un auditeur (ou auditrice) lui aussi invisible, mais éminemment   actif, car il capte, déchiffre, souvent interprète, quelquefois déforme selon ses préjugés, ses désirs inavoués, etc., le signal microphonique qu'il (ou elle) entend ou pis, qu'il (ou elle) croit entendre.

Afin de "comprendre" le signal de la source (l'émetteur), la cible (le récepteur) doit avoir un lien, quelque chose en commun avec l'émetteur, et non seulement partager la même langue, car même cette dernière n'est ni objective ni exempte de causes d'erreurs.

À ce propos, un linguiste structuraliste nord-américain des années cinquante écrivait : "We speak (and understand) in terms of expectations", c'est-à-dire que, même si l'on n'entend que la moitié de ce qui est dit, l'on s'attend à ce qui devrait suivre, et souvent c'est autre chose qui remplit le vide (ou le soi-disant vide). En forçant quelque peu la note, on pourrait affirmer que l'auditeur (ou l'auditrice) prend assez souvent ses désirs pour la réalité. Connaissant la propension de la cible envers l'interprétation, l'émetteur devra constamment être sur ses gardes afin de ne pas l'accentuer ou la stimuler.

C. Le **contexte** : l'événement, le fait rapporté, la nouvelle ou toute espèce de discours sur une soi-disant actualité s'enchâssent nécessairement dans un ensemble soit politique, soit culturel ou même religieux tendant à leur conférer - en dépit du plus grand souci d'objectivité du texte ainsi que de l'émetteur - une couleur, une identité, je dirais un "état civil" particulier.

Songeons, un moment, à certains événements rapportés dans le cadre géographique du Moyen-Orient - par exemple : **les mêmes faits**, tombant dans l'oreille d'un musulman (sunnite ou chiite), d'un chrétien, déclencheront des réactions fort différentes aux plans intellectuel, politique, émotif, etc. Qui plus est, chacun entendra le son de cloche qui justifiera son

point de vue, car il est presque impossible de "voir" la réalité - si tant est
qu'elle existe à l'état pur (ou neutre) en elle-même.

De là, l'énorme responsabilité du journaliste, ici encore, face aux modalités terminologiques d'un reportage, pour le plus anodin qu'il lui ap-
paraisse. Il faut éviter les mots à **connotation trop engagée** et bien connaître le répertoire lexical ou même grammatical dangereux dans un contexte ou un autre (politique et religieux, idéologique, en particulier). C'est
ainsi qu'on évitera d'émettre toute construction linguistique (lexicale, etc.)
ressemblant à une allusion, un jugement, une ombre d'interprétation. Car
la langue, par rapport à un contexte donné, c'est de la dynamite.

Un bon manuel de rédaction, une connaissance raisonnable des **contextes conflictuels**, de la part du journaliste, seront de nature à aider
l'émetteur dans le maniement (et non la manipulation) prudent de l'outil
linguistique face à toutes les cibles éventuelles. Par ailleurs, souvenons-
nous d'un grand principe : un "fait", une "nouvelle" ne sont pas des entités
abstraites, éthérées, isolées. Ils prennent racine, tout au contraire, de mi-
lieux humains conditionnés et régis par diverses normes culturelles, com-
portements coutumiers quasi automatiques, et idéologiquement orientés.
On essaiera, tant bien que mal, de les voir de l'extérieur, et de les rapporter
ou montrer de la manière la plus détachée (neutre!) possible, tout en sa-
chant bien que leur nature est entachée de subjectivisme. Il faudra éviter de
tomber dans ce piège ou de le renforcer.

Pour employer le jargon des linguistes, le journaliste doit nécessairement "dénoter" un fait, etc., c'est-à-dire le déclarer, le délimiter, et jusqu'à
un certain point, le définir. Mais il se défendra bien de le "connoter", en
empêchant que Monsieur ou Madame Tout-le-Monde puisse y détecter la
moindre nuance émotive de sa part ou quelque parti-pris que ce soit.

Après tout, il est important de toujours garder à l'esprit que le comportement humain est le plus souvent tissé, empreint de "connotations",
forcément moulé dans des préjugés, des à priori, des opinions considérées
comme des certitudes.

D. Le **contact** : entre un émetteur et un récepteur, entre une source et
une cible, on trouve diverses approches ou diverses manières - qu'on pourrait désigner comme des "techniques" - de véhiculer, de faire passer
l'information. C'est ainsi qu'entre le face-à-face du débat télévisé où
l'émetteur et le récepteur se voient, réagissent, s'influencent réciproque-
ment (par "feedback", rétroaction), et le monologue microphonique de la
radio - devant un auditoire invisible, critique ou indifférent, et quelquefois
menaçant , existe la distance entre deux pôles opposés.

Si - par exemple - le débat télévisé permet l'échange des rôles (émetteur/récepteur), l'alternance des forces; et si, dans une salle de classe ou de conférence, le processus de "feedback" peut rendre possibles les rectifications de tir, les ajustements et les corrections, le contact radiophonique - mis à part le système téléphonique - est largement mené à sens unique, irréversible, un peu comme la flèche parcourant un espace obscur, vide et sans limite - sans espoir de retour.

Toujours en s'en tenant aux règles de prudences énoncées à la rubrique C. (facteur contexte), le journalisme parlé , radiophonique, doit faire en sorte d'amenuiser le vide ressenti, de rendre plus "visible" l'auditoire visé. Ceci sera affaire de maîtrise des techniques du code (linguistique oral), comme nous le verrons plus loin.

E. Le **code** : il s'agit, en quelque sorte, de la matière organisée sur les deux plans physique et mental, servant de véhicule spécifique à l'émetteur afin d'atteindre la cible (ou récepteur), c'est-à-dire produire et faire passer un **message**; ce dont nous parlerons à la rubrique suivante.

En d'autres termes, c'est par la faculté du langage, s'appuyant sur la **fonction symbolique** - capacité de produire le maximum de **significations** à l'aide d'un **minimum** de SIGNES conventionnels - que l'usage de la **langue** (ou des langues) existe chez les humains pour transmettre et partager l'information sur le milieu ambiant ("le monde, l'univers, le réel") ou exprimer des états psychiques ou émotifs.

Dans la vie quotidienne, la communication linguistique prend la forme d'une espèce de dialogue entre interlocuteurs (émetteur, récepteur; rétroaction, "feedback"); dans le journalisme parlé, c'est essentiellement une sorte de **monologue** - assez risqué, comme nous l'avons vu précédemment.

La langue est donc un outil indispensable, dont il faut manier soigneusement les rouages, qu'ils consistent en phonèmes (**sons**), formes grammaticales et tournures de phrases, les mots et leurs sens, car la moindre infraction ou le moindre changement aux règles socialement acceptées d'un code linguistique modifieront la nature du message ou mèneront tout simplement au contresens et à l'incompréhension.

Il est reconnu, par ailleurs, que l'auteur d'un texte écrit comme celui qui s'exprime oralement sur tel ou tel sujet, exercent une forte influence sur la réception d'un message selon leur habileté à manier - et souvent manipuler - les éléments du discours linguistique. On obligera, en utilisant tel ou tel **procédé** (par exemple, la mise en relief d'un terme donné, d'une partie de phrase, une association de mots, et même une intonation particulière, l'auditeur-locuteur (dans le cas de la radio) à décrypter dans un sens ou dans l'autre un message savamment, habilement, ou même hypocritement codé.

Le locuteur de telle ou telle langue, un peu à la façon d'un réflexe pavlovien, habitué qu'il est depuis sa plus tendre enfance à réagir sans discuter- automatiquement - aux significations véhiculées par les unités socio-culturellement acceptées de sa propre langue, recevra - tel qu'on voudra bien le lui présenter un élément ou un autre du message en question.

On pourrait, à la rigueur, affirmer qu'un discours ou un récit codé selon les techniques du sophisme de la rhétorique classique, parviendra au résultat, pas tellement étonnant, de faire accepter comme vraie - par n'importe quel auditeur ou interlocuteur - une fausseté notoire.

Disons, en terminant ces quelques remarques sur le paramètre du **code** dans la communication, que le journaliste radiophonique qui connaît bien et maîtrise pratiquement le maximum des finesses et contraintes d'un code langagier, possède, par le fait même, une grande capacité expressive, à partir de laquelle il pourra - à toutes fin utiles - faire ce qu'il voudra de toute vérité résidant au coeur d'un événement : ou la déformer (torturer), ou la respecter - pour le plus grand bénéfice du récepteur (auditeur/auditrice).

F. Le **message** : enfin, nous atteignons le but ultime du travail journalistique, c'est-à-dire **livrer l'information** dans son essence, telle qu'en elle-même elle existe et doit être perçue. On peut affirmer que c'est ici que se déroule le **drame** dont on parlait dans l'Introduction : à travers une série d'obstacles, de pièges, de techniques souvent ambiguës, montrer l'action tout en la situant dans son cadre réel, rendant justice aux acteurs et en instruisant les auditeurs (récepteurs).

Le message, en allant droit au fait, rapportant l'événement ou la nouvelle sans biais ni ornement inutile, constitue ce qu'on appelle le **noyau dur** de l'information, le contenu essentiel du déroulement quotidien de l'existence humaine, dans ses aspects heureux comme ses inévitables malheurs.

Sans faire abstraction des influences déformantes que peuvent exercer sur l'émetteur aussi bien que sur le récepteur les normes, les contraintes, les mirages de l'appareil socio-culturel - et ceci vaut tout autant dans le comportement des sujets ou protagonistes des événements rapportés, le journaliste, soit en écrivant soit en parlant, ne devra pas être dupé ou même fasciné par l'objet de son travail, de ses efforts. Il doit rapporter, montrer, et non **démontrer**, dans le type de communication radiophonique (orale) auquel il se livre.

Le message n'est pas **la** vérité froide et platonicienne, sans base humaine (tout imprégnée de chaleur!); il s'agit bien plutôt d'une ou de plusieurs facettes d'**une** certaine vérité, enracinée dans un certain coin du globe; il s'agit d'un déroulement particulier, quelque part dans le monde, d'une partie du vaste drame de l'existence, de l'aventure humaine.

C'est bien cela qu'il faut présenter au récepteur ou la cible. Entre les protagonistes du drame, entre les acteurs de **cette** vérité particulière, et les récepteurs (ou la cible), l'émetteur ou le transmetteur ne peut poser d'obstacle ni s'interposer.

Étant donné l'énorme problème que constitue la recherche de l'objectivité, et que nous avons essayé de démontrer précédemment, il faudra s'exercer, avant d'entreprendre la rédaction d'un texte destiné à une cible radiophonique, à effectuer l'inventaire le plus complet possible des causes de déformation, d'interprétation illicite, de "dénaturation" de tout fait ou événement à rapporter.

On peut résumer, de façon très générale, ces causes : 1) les **cultures** (des acteurs, de l'émetteur, de la cible); 2) les **contextes** (géographique, politique, religieux, etc.); 3) les **préjugés** ; 4) etc.

Enfin, tout en jouant sur les mots de façon sérieuse, on pourrait affirmer que, si la vérité toute nue reste toujours pour les humains une entité idéale, inaccessible, par contre, la nudité d'une vérité devrait constituer le produit auquel pourrait s'attendre un auditeur, au moment où il branche son appareil de radio pour entendre les "nouvelles". Se consacrer à livrer un tel produit, décanté du maximum de contre-vérités, voilà la tâche à laquelle est appelé le journaliste radiophonique soucieux de bien informer son public.

Octobre 1988

BIBLIOGRAPHIE

BIBLIOGRAPHIE

Aspinall, Richard, **Guide pratique de la production radiophonique**, Paris, Unesco, 1972.

Barrett, Marvin, **Broadcast Journalism**, New York, Everest House, 1982.

Bliss, Edward et Paterson, John, **Writing News** for Broadcast, Columbia University Press, 1978.

Coll., **Guide du journaliste**, Montréal, La Presse Canadienne, 1986.

Coll., **Politique journalistique**, Ottawa, Société Radio-Canada, 1988.

Coll., **Savoir persuader**, Paris, La Bibliothèque du CEPL, 1975.

Cossette, Claude et Déry, René, **La publicité en action**, Québec, Les Éditions Riguil Internationales, Les Éditions du publicitaire, 1987.

Florio, Léon, **Initiation à la pratique du journalisme**, Collection J comme journalisme, École supérieure de journalisme, Lille, 1975.

Fornatale, Peter et Mills, Joshua E., **Radio in the Television Age**, Woodstock, New York, The Overlook Press, 1980.

Halberstam, David, **The Powers that be**, New York, Alfred A. Knopf, 1979.

Gaillard, Philippe, **Technique du journalisme**, Paris, PUF, 1980.

Garvey, Daniel et Rivers, William, **Broadcast Writing**, New York et Londres, Longman, 1982. (avec un "workbook" de 169 p.)

Martin-Lagardette, Jean-Luc, **Informer, convaincre : Les secrets de l'écriture journalistique**, Paris, Syros, 1987.

McLuhan, Marshall, **Letters of Marshall McLuhan**, Oxford University Press, 1987.

McLeish, Robert, **The Technique of Radio Production**, Londres et Boston, Focal Press, 1981.

Mencher, Melvin, **News Reporting and Writing**, Dubuque, Iowa, WBC publishers, 1984.

Smeyak, G. Paul, **Broadcast News Writing**, Université du Kansas, Grid Inc., 1977.

Tethowan, Ian, **Radio in the Seventies**, Londres, BBC, 1970.

Wimer, Arthur et Brix, Dale, **Radio and TV News Editing and Writing**, Dubuque, Iowa, WCB, 1976.

Zorn, Eric, **Radio News : Alive and Struggling**, in Washington Journalism Review, décembre 1987, p. 16, 17 et 18.

TABLE DES MATIÈRES

TABLE DES MATIÈRES ▬▬▬▬